Ylog Namron und die Drückerbande

präsentieren

Nichts für Heimscheißer

oder

Klopapier ist voll für 'n Arsch

Verlag Books on Demand GmbH Norderstedt

Wir empfehlen Hakle Scheißhauspapier,

- denn Hakle ist für jeden Arsch!

Nichts für Heimscheißer

oder

Klopapier ist voll für`n Arsch

Ursprünglich als Bühnenstück gedacht, - als Buch nun gemacht!

Die Mitdrücker

Wolfgang – der Zarte

Harald – das Tier

Torsten – der Unschlanke

Hans – der Hundeflüsterer

Stefan – der Allwissende

Dok Assi – der Bewirtende Sanfte

Nichts für Heimscheißer jetzt auch im Internet unter

www.xantaria-projekt.de/nfhs

Schreibt wie Euch das Buch gefallen hat und liefert Ideen
für ein Neues Buchprojekt, wo Ihr dann mit etwas Glück
und tollen Ideen dabei sein könnt.

Dixi,

   wenn's um die Wurst geht.

Alle Handlungen, Namen und Personen sind frei erfunden.
Eventuelle Ähnlichkeiten mit lebenden oder verstorbenen
Personen sind rein zufälliger Natur. ;-)

Bibliographische Information Der Deutschen Bibliothek: Die Deutsche Bibliothek verzeichnet diese Publikation in der Deutschen Nationalbibliographie; detaillierte bibliographische Daten sind im Internet über http://dnb.ddb.de abrufbar.

Idee, Projekt- und Redaktionsleitung, Bildmaterial:

Ylog Namron, Schinderhannes, Diximax, Röhrenmimmi, Schlüpperjosef, Dr. Pupsjörg und die verkackte Bunkerwalli

Herstellung und Verlag:
Books on Demand GmbH, Norderstedt

ISBN 13: 9783837070194

Printed in Germany / Hamburg

Enleerungshilfe

»Zugegeben, scheißen ist ein Tabuthema, doch egal

wie anal bekleckert Ihr dieses Büchlein findet,

es geht Euch ja doch alle an«

Zu aller erst einmal...

...was oben rein kommt, dass muss unten irgendwann auch wieder einmal raus. So lautet eine alte Weisheit, welche sich täglich aufs Neue ausprobieren lässt. Wer kennt nicht das alltägliche Problem. Genüsslich stopft man all die leckeren Sachen in sich hinein und dann, wenn es denn gar nicht sein sollte, geht es so richtig schön ab.

Oh, oh, oh, ups, uh und ah. Egal was man gerade auf dem Zettel hat, jetzt muss man schnellstens seinen eigenen wichtigen Geschäften nachkommen. Doch verflixt, wo steckt das nächste Klo, das WC, der Abort, die Toilette, die Keramik, die Uni, die Schüssel, der Thron oder wie im allgemeinem Volksmund, das Scheißhaus? Schnell wird die Suche zur Qual. Erleichterung zeigt sich mit einem freudigen Lächeln im Gesicht erst, wenn man sein ehrgeiziges Ziel verwirklichen konnte. Geschafft, entleert, vorbei, Hurra - was für ein Sieg!

Würde man eine Selbsthilfegruppe Gründen, müsste sie nach kurzer Zeit 6 Milliarden Mitglieder haben. Jeder, der sich zu Speis und Trank verpflichtet fühlt, ist betroffen. Der Putzfrau geht es genauso wie dem Supermodell aus der Zeitschrift, dem Bauarbeiter wie dem Geschäftsführer, dem 4 jährigen Sprössling wie dem Bundeskanzler. Sie alle verbindet etwas Magisches und Aufregendes, etwas Interessantes, Alltägliches und doch sehr Persönliches. Sie alle müssen einmal Kacken.

Wohl dem, der es problemlos bewältigen kann und elegant gelöst gut hinter sich bringt. Mitleid mit Denen unter uns, welche jammernd und klagend, stöhnend und seufzend die

Keramikschüssel immer wieder aufs Neue regelrecht schänden.

Ja genau! Es geht ums Kacken, oder lateinisch Caccare, griechisch auch Kakos genannt. Man könnte auch ganz locker Stuhlgang oder Defäkation dazu sagen. Damit man jedoch überall verstanden wird ist es vorteilhafter, wenn man das ganze als Scheißen bezeichnet. Dies ist bei weitem umgangssprachlicher als man denkt.

Man sagt, dass das Wort Scheiße vom Mittelhochdeutschen Schizen abstammt. Eigentlich völlig egal, wie man auch immer das Zeug bezeichnet. Fakt ist, das der Kot, die Kacke oder eben die Scheiße im Darm durch unwillkürliche Bewegungen, durch Peristaltik, transportiert und im Mastdarm vorübergehend gesammelt wird. In der Darmwand befinden sich so lustige Dehnungsrezeptoren. Diese stimulieren dann, wenn es denn so weit ist, das Gehirn und es entsteht das Bedürfnis sich zu entleeren.
Bei manchen Menschen scheint da aber was schief zu laufen, wenn man hört, was da angeblich für Mengen produziert werden. Tststst. Dazu aber später mehr.

Einwenig steuern kann man das ganze dann doch schon, nämlich mit dem Schließmuskel. Dem Anus! Im Normalfall funktioniert ja auch alles recht zuverlässig. Wohl dem, der kontinent ist. Es gibt aber auch Präparate von Menschen unter uns, welche unbedingt undicht sein wollen. Von einem soll hier kurz erzählt werden.
Es war auf jeden Fall ein Erlebnis der unheimlichen Art.

Der Dirigent

Da war er, der Harald. Etwas über 30 Jahre alt, groß und blond, massig, eben ein ganzer Kerl. Bei ihm fiel es nicht all zu schwer zu erkennen, dass der Mensch vom Affen abstammte.

Der klobige Gang, das laute starke Grölen, was für die Kommunikation mit anderen Lebewesen da sein sollte, das viele Gerülpse nach jedem Stück Nahrung, welche er sich ständig schniefend in den großen Mund schob und zu guter letzt das Gefurze.

Natürlich weiß jeder, dass Furzen und Scheißen oft Hand in Hand gehen. Ein Lügner, wer es nicht schon selbst erlebt hat, ein Kenner der Szene, wer genüsslich einfach mal so einen fahren lässt, ein Künstler, wer unsere gute alte Staatshymne drauf hat, ein Spießer, wer es nur heimlich im Scheißhaus macht, ein Egoist, wer es nur für sich selber macht und andere nicht daran teilhaben lässt, ein Gauner, wer wartet bis andere sich verausgaben, um es dann als sein Werk zu veräußern, ein Experte, wer seine Furze zur Lautsprache weiter entwickelt hat und sie als Fremdsprache erfolgreich einsetzt.

Harald jedoch hatte wenig von all dem. Er schiss sich beim furzen einfach in die Hose. Und als wenn das nicht schon schlimm genug wäre, er wähnte sich auch noch in Sicherheit, quasi in einer trockenen Zone. Welch ein fataler Irrtum ihm da widerfuhr. Während der normal furzende bemüht war, trockene, wohlwollende und harmonische Klänge zu erzeugen, gab sich Harald alle Mühe zu beweisen, wie man bewusst inkontinent werden kann. Wenn Harald auf Arbeit sich anschickte so richtig Luft abzulassen, dann gab es ganz merkwürdige Geräusche.

Anfangs dachte man immer, es müsse da wohl ein Defekt an der Sprechfunkanlage vorhanden sein. Doch eines Tages offenbarte sich uns die Lösung auf eine gar wunderbare Art und Weise.

Es war an einem dieser schönen, sonnigen Sommertage. Am liebsten würde man der normalen Arbeitswelt fernbleiben und gemütlich mit einem Schirmchendrink in der Hand zu Hause auf der großzügig angelegten Terrasse so richtig abgammeln. Aber es sollte so nicht sein.

Es war morgens halb zehn in Deutschland. Harald stand neben mir. Mit einem unverschämten Grinsen im Gesicht freute er sich darüber einmal zu zeigen, was so alles in ihm steckte. Er wollte durch blanke Gedankenarbeit die Organe seines Körpers so bedienen, dass sie die Luft um ihn herum wesentlich mit veränderten. Um die Peristaltik im Darmbereich, falls es so etwas je bei ihm gab, zu unterstützen, kniff er einwenig die Augen zusammen, verzog krankhaft sein Gesicht, spannte seine Bauchmuskeln an, verdrehte die Kniegelenke ganz merkwürdig nach innen und furzte und furzte und furzte.

Er presste die heißen Abgase seines elendigen Kadavers durch den wahrscheinlich völlig verkrampften Anus, weiter zwischen die fetten Arschbacken hindurch. Man konnte die mitgerissene Feuchtigkeit regelrecht hören. Es war ein Tsunami des Mastdarms. Es hörte sich an, als würden volle Wassertüten in Etappen zu Boden fallen und man würde anschließend darin herum latschen.

Harald lächelte vergnügt, wiederholte es noch zwei, dreimal, wedelte dann wie ein Dirigent mit den Händen durch die warm gewordene Luft und erwähnte noch kurz, dass da wohl Land mit bei war. Freude strahlend drehte er sich um und schleppte sich schlurfenden Ganges auf seinen schwarzen Drehsessel zurück.

Mittlerweile löste ich mich wieder langsam aus meiner eingenommen Schutzhaltung. Es war so eine Art Tot stellen, mit Augen zu und Luft anhalten, da es schien, als würde Gefahr im Verzug sein. Mit dieser Haltung konnte man sich bedenkenlos bis zu einer Minute den aufsteigenden Gasen verwehren.

Ich blickte Harald hinterher und als ob es nicht schon schrecklich genug war, entdeckte ich es. Da war es ganz klar zu erkennen. Durch die helle Arbeitshose von Harald sah ich sein ganzes Werk, welches er gerade vollbracht hatte. Die Unterhose, in ausreichender Größe bereits vorhanden, hatte in ihrer Filterfunktion fast vollständig versagt. Selbst die zweilagige, reißfeste Arbeitshose war dieser besonderen Aufgabe nicht gewachsen. Diese Arschritze war ja wohl eindeutig nass!

Während Harald sich wieder hinsetzte und sich dem Rülpsen widmete, legte ich mein Pausenbrot beiseite, packte es sorgfältig ins Aluminiumpapier ein, ging nach draußen in den kleinen Vorraum und warf es in den Mülleimer. Es war schrecklich! Das war ja wohl wirklich Scheiße!

Den Rest der Woche führte Harald in alt bewährter Art und Weise fort und seine Untergebenen Mitarbeiter bemerkten auch schnell, dass da hinten etwas nicht stimmte. Ich bin dabei nur froh gewesen, dass er mir nicht ans Bein gepinkelt hatte, um so sein Revier zu markieren.

Übrigens, wenn man merkt dass man muss, sollte man auch auf die Bedürfnisanstalt gehen. Unterdrückter Stuhlgang fördert Verstopfungen. Ist nicht so toll! Wenn man doch schon dabei ist sollte man das Ganze locker nehmen. Wenn man pressen muss, dann aber nur ganz leicht. Klappt es doch mal nicht so, schön Zeit lassen. Besonders in der Firma. Am besten man liest einwenig Zeitung oder ein gutes Buch. Das wirkt oft Wunder. Wenn man dann fertig ist, schön den Po Po sauber machen. Nicht den Harald raushängen lassen!

Zurück zu unserem Stuhl. Dieser ist also ein Ausscheidungsprodukt unseres Verdauungstraktes und besteht zu dreiviertel aus Wasser. Ein Grund wohl, warum es bei Harald so schön sichtbar wurde. Des Weiteren enthält er noch unverdauliche, teilweise bakteriell zersetzte Nahrungsbestandteile, sowie auch das Stück Bonbonpapier, die Fingernägel vom Kauen und den Mais vom Mittagssalat. Ach so, und etwa 10 Milliarden Bakterien pro Gramm in dem, was da so halt rauskommt. Der unangenehme Geruch, jedenfalls für die meisten unter uns (hi hi hi), der entsteht durch die Zersetzung der Nahrung durch Bakterien im Dickdarm. Normalerweise ist Kacke homogen, breiig bis fest (nicht bißfest!) und verzückt uns immer einwenig mit der bräunlichen Farbe auf der samtigweißen Keramikoberfläche, welche, herrlich schimmernd, wenn leicht mit Wasser benetzt, dort unter dem Deckel der Enthüllung, wie eine Lagune im Nebel schlummert.
Hach, wie poetisch, da kommt man doch ins schwärmen...

Eines Abends am Biertisch in einer Stammkneipe

Wie jeden Freitagabend trafen sich die Kollegen des Bautrupps „Blähbeton und Ton" in ihrer Stammkneipe. Der Wirt, den sie immer Dr. Assi nannten, machte einen eher gelangweilten Eindruck, brachte dann aber doch, gleich als alle sich am Tisch niederließen, die erste Runde Bier. Jeder nahm sein eiskaltes und von außen mit Feuchtigkeit beschlagenes Glas in die Hand und hob es hoch, genau bis zur Mitte.

Die Gläser krachten zusammen und schon war jeder damit beschäftigt, schnellstens den gesamten Inhalt in sich hinein zu schütten. Die zweite Runde wurde schon von Dok Assi vorbereitet. Es dauerte immer ein Weilchen bis der Schaum sich endlich in den Gläsern niederließ und Dok dann wieder nachzapfen konnte. In der Zwischenzeit wischte er mit einem alten Lappen auf dem Tresen umher. Apathisch saßen die Kollegen am Tisch, erzählten sich ein paar abgedroschene Arbeitsgeschichten vergangener Tage und bevor noch jemand auf die Idee kommen konnte über das Wetter zu labern, brachte sich Stefan als erster in die Runde ein.

Was er bis dahin nicht wissen konnte war, dass sein Problem an diesem Abend Geschichte schreiben würde. Aber lest es doch einfach selber …

Stefan hatte ein ernstes Problem zu bewältigen und vertraute sich in dieser geselligen Feierabendrunde seinen Kollegen und Freunden an.

„Jou, - bei mir da heime, da renovieren wir gerade unser Badezimmer. Na und in diesem Zuge wollen wir auch gleich alles komplett erneuern. Waschbecken, Dusche, Badewanne und das Klo. Also, ich gleich mittwochs nach der Maloche nichts wie hin zum Baumarkt. Ja, dort hab ich dann mal son bisschen rumgestöbert und da fiel mir auf, dass die meisten neuen Klo`s zwar alle sehr schön aussehen, aber vom Durchflussquerschnitt irgendwie doch sehr eng bemessen sind, wie ich meine. Ich sehe darin ein echtes Problem, weil wir in unserer Sippe, - also, na ja, "

Stefan verstummte kurzzeitig und hob beschwörend die rechte Hand nach oben, wedelte ein wenig mit ihr hin und her und erzählte bedächtig weiter.

„Also wir scheißen alle ziemlich große Haufen. Unser jetziges altes Klo ist ein Flachspüler von Villeroy & Boch und hat gegenüber den Baumarktdingern eine wesentlich größere Abflussöffnung. Und selbst da gab es manchmal schon Probleme, dass das Zeug vernünftig durchrutschte."

Die Runde, bei der gerade noch der eine oder andere am Schwatzen war, verstummte. Bei solch einem Thema wurde das Interesse aller Tischgenossen schlagartig geweckt.

„Ja nun schaut mich nicht so an! Kennt sich da jemand von euch aus, oder hat jemand ne Ahnung, bei welchen Toilettenherstellern die Durchflussöffnung von den Klo`s besonders groß ausgeführt ist? Oder welchen Scheißhaustyp könntet ihr mir empfehlen?

16

Noch bevor Stefan die letzten Worte ausgesprochen hatte, viel ihm Torsten mit einem breitem Grinsen ins Wort.

„Na, - dann esst doch halt mehr Sauerkraut! Dann passt das Gelumpe schon durch! Haha, also Sachen gibt`s...“

Die Runde grölte laut auf und Stefan hatte alle Mühe wieder für Ruhe zu sorgen.

„Ne, jetzt mal janz im ernst. Wir haben nicht vor unsere Ernährung umzustellen. Wir suchen einfach nur ein neues Klo, aber ein vernünftiges! Wie ist das vielleicht mit Modellen von ausländischen Herstellern? Die Italiener machen doch immer ein auf Mode und so. Gibt es da vielleicht etwas Interessantes für unsere Zwecke? Es müsste allerdings wieder ein Standklo sein.“

Wolfgang, einer der Arbeitskollegen von Stefan klinkte sich jetzt in die Runde mit ein. Er wusste es natürlich wieder mal ganz genau und ließ auch gleich den Oberlehrer raushängen.
Wolfgang selber war kein stämmiger Mann. Er war nicht besonders groß, etwas über 40 und seine Haltung war fast kerzengerade, sein Kopf war von beeindruckender klassischer Schönheit. Sein Gesicht war ein längliches Oval mit straffer, er selbst glaubte jugendlicher Haut, gerader Nase, langen, schmalen Augen und einem dazu passenden zarten kleinen Mund, der leicht rosa glänzte. Sein schwarzes Haar war sorgsam gekämmt und penetrant von ihm zu einem Mittelscheitel gespalten worden.

„Um Dich mal zu beruhigen, sämtliche Toiletten namhafter Hersteller sind Bauart geprüft und müssen den so genannten Normschiss durchlassen. Und das ist bestimmt kein Quatsch.“

Die Runde wieherte vergnügt.

„Die Größe des Durchlasses hat nicht unbedingt mit der Spülleistung des ganzen zu tun. Diese kann sogar besser sein, wenn die Dimension etwas geringer ist. Ne komplette Erklärung dauert mir jetzt zu lange. Glaub es mir einfach. Es sei denn?" …
Wolfgang tat jetzt ganz geheimnisvoll.

„Ja es sei denn, Eure großen Haufen wären von einer so massiven Konsistenz, dass ne ne... Hahaha."

Wolfgang verschluckte sich vor lachen und fing an zu hüsteln. Den Schluck Bier, der gerade wieder aus seinem Mund über die Lippen hinunter lief, hätte er sich sparen können. Er wischte ihn mit der linken Rückhand ab, rülpste noch einmal vergnügt und machte es sich auf seinem Holzstuhl wieder bequem. Nun hatte auch Torsten, welcher etwas abseits vom Tisch saß, zu dem doch recht erquickenden Thema etwas zu sagen.

„Äh - in Thailand stellen sie jetzt Klo`s für Elefanten auf, mit Wasserspülung! Ist kein Witz, war bei uns in der lokalen Zeitung und sogar mit einem Foto. Äh - Stefan, ansonsten würde ich mal dazu raten, die Arschbacken etwas zusammen zu kneifen! Eine gute Keramik sollte mit den Haufen von normalen Mitteleuropäern doch schon zu Recht kommen. Hahaha...".

Torsten war kein Mann von Traurigkeit und er musste verdammt noch mal wissen, was wirklich große Haufen waren. Er schleppte mehr als 150 Kilo Lebendgewicht durch die Gegend und seine Futterstelle war die Imbissbude MC doof, mit diesen besonders Wait Watchers freundlichen Burgern und Fritten, gleich bei ihm um die Ecke. Warum zu Hause kochen, wenn das Leben doch so leicht zu genießen ist? Täglich stopfte er immense Portionen dieser wahrlich nahrhaften Speisen in sich hinein. Demzufolge gab es auch reichliche Abfälle, die wieder entsorgt werden mussten und damit hatte Torsten seit Jahren genügend Erfahrungen gesammelt.

Während Torsten sichtbar die Tränen in den Augen standen fügte er noch mit einem röcheln hinzu:

„Vielleicht haut ihr einfach nur zuviel Papier mit ins Scheißhaus hinein. Ansonsten könntet ihr ja wieder umsteigen, und zwar aufs gute alte Plumpsklo!"

Harald und Wolfgang hämmerten mit den Fäusten auf den Tisch und lachten, lachten, lachten. Als sich die gesamte Runde wieder einigermaßen beruhigt hatte, war auch der Wirt bereit die nächste Runde Bier vorbeizubringen. Hans, zur linken von Stefan sitzend, zündete sich eine Zigarette an und zog ein paar Mal heftig daran. Doch sie schien nicht so zu glimmen, wie er es sich erhofft hatte. Sie war durch etwas verschüttetes Bier nass geworden, darum beförderte er sie mit einem Schnipsen in den Aschenbecher, welcher in der Mitte des Kneipentisches stand. Bei der Nächsten Kippe hatte er mehr Erfolg, denn vorher hatte er sich gepflegt die nassen Hände auf seinen Schenkeln an dem rauen Jeansstoff abgewischt. Jetzt hob er nachdenklich seinen Kopf und wie ein Akademiker an einem Rednerpult stehend sprach er:

„Wenn ich es mir recht überlege und den Innendurchmesser des Scheißhausabgangs bedenke, so dicke Haufen von 7 – 8 cm im Durchmesser, ja da würde ich schon mal den Arzt auf suchen! Da ist die Sitzung auf dem Klo bei euch doch wohl eher eine Geburt? Ich mach mir gerade in Gedanken ein Bild davon. Übrigens soll es auch Klo`s als Zweisitzer geben und das ist kein Witz. Voll sozial, denn so kann die Familie zusammen Sitzung halten!"

Die Tischgenossen fingen wieder das Gejohle an und Torsten rief in die Runde:
„Schatz, ich war gerade auf dem Klo, 12 Pfund ohne Knochen. Hahaha..."

Bevor alles wieder aus dem Ruder laufen konnte, klinkte sich mit erhobenem Zeigefinger Harald mit ein. Mit dem erhobenen Zeigefinger kannte sich Harald hervorragend aus. Seit Jahren spielte er in seiner Baugruppe so etwas wie den Meister, welches ihm aber seit genau derselben Zeit bisher kläglich misslang. Er hatte einfach nicht die nötige Intelligenz dazu und so bekam er von seinem Vorgesetzten als administrative Maßnahme des Öfteren den erhobenen Zeigefinger gezeigt, oder wie man im Kollegenkreis so herzhaft ehrlich ablästerte - eine Zigarre verpasst. Er hatte sich irgendwie daran gewöhnt. Der Rest der Gruppe auch! Harald klinkte sich also mit ein.
„Alles was durch eine 1 Zoll Rosette passt, dass passt mit Sicherheit auch durch ein 3 Zoll Rohr... Hahaha. Hab noch niemals ein Klo gesehen, welches nur durch einen Haufen verstopft wurde. Da muss dann schon was anderes rein."

Stefan hielt es nicht mehr aus und übernahm die Gesprächsführung wieder.
„Nur zum besseren Verständnis. Es geht nicht um den Durchmesser der Haufen, sondern eher um deren Volumen und Masse. Einlagen von 2 - 3 Kg sind bei uns keine Seltenheit. Mir ist das schon klar, dass man Würste

von 8 cm Durchmesser nicht durch den Schließmuskel bekommt. Zudem sollte mein Anliegen nicht der allgemeinen Belustigung dienen, sondern war durchaus ernst gemeint."

Harald, gerade sein Bierglas auf einem durchnässten Bierdeckel absetzend, sprach mit dem Ton des allwissenden.

    „Tschuldigung, aber wunderst du Dich? Ein Brüller jagt hier den anderen. Haste die ganz Kacke nun auch noch gewogen? Nee im ernst. Zwei bis drei Kilogramm, dass kann ich nicht glauben. Ich glaube vielmehr, du willst uns hier verarschen."

Hans, der schon wieder ein Problem mit seiner Zigarette hatte und ungeduldig an ihr herum fingerte, sprach mit einem lächeln auf dem Mund:

    „Bei allem ernst, aber es ist wohl einem Menschen nicht möglich, Haufen von 2 bis 3 Kilogramm zu scheißen! Da muss man schon Blei futtern!"

Er drückte behutsam die Kippe in den fast vollen Aschenbecher aus und fügte noch hinzu:

    „Falls die Haufen ein wenig größer wären als der Durchschnitt, sollte man eventuell eine Zwischenspülung machen! Aber 2-3 Kilogramm. Das ist doch Größenwahnsinn. Das wäre schon was für das Guinnessbuch der Rekorde!"

Torsten, der sich nun etwas nach vorne gebeugt hatte versuchte wieder mit seinem Einwand lauter zu sein als alle anderen. Es war so seine Art, sich in den Mittelpunkt des Geschehens zu drängen.

„Oder du musst mehrmals in der Woche abdrücken und nix ansammeln, oder eine Güllepumpe kaufen. Wobei, bei dem gemachten braucht ihr wohl eher eine Betonpumpe."

Er lehnte sich wieder zurück, hielt sich beide Hände vor sein Gesicht und lachte in sie hinein. Die anderen schauten ihn an und wussten die doch etwas merkwürdige Geste nicht recht zu deuten, doch bevor es daran ging den tieferen Sinn von Torstens Einbringe Versuchen zu finden, kam Wolfgang, als Oberschlauer, schon mit dem nächsten.

„3 Kilo? Das sind um es mal zu veranschaulichen 6 Pfund Hackfleisch. Die lass dir mal abpacken und schaue dir den Haufen an! Ich würde mir keine Gedanken um den Abfluss, sondern um das Fassungsvermögen der Schüssel machen. Ich weiß nicht, welche Traditionen bei euch gepflegt werden, aber vielleicht sollte man den monatlichen Scheißhausgang ja auf viele einzelne Sitzungen verteilen. Es gibt Leute die gehen sogar jeden Tag."

Wolfgang wusste in diesem Moment, das die Runde schon wieder am Kochen war und das vor lauter Freude. Das Bier spritzte aus den Mündern von Harald und Torsten und ehe ihm das Wort wieder vor lautem Gegröle versagt werden würde, fügte er noch schnell „Ne mal ehrlich, kein

gesunder Mensch kackt 3 Kilo. Und dann auch gleich noch die ganze Familie?
Oder warte mal. Ihr geht immer nacheinander und spült zum Schluss." hinzu.

Der Tisch bebte und ein Bier kippte um. Glücklicherweise war der Tisch groß genug, um den halben Liter aufzunehmen. Wie gewohnt wurden die Ränder der Tischdecke hochgeklappt, um zum aufsaugen des teuren Getränks mehr Stoff zur Verfügung zu haben. Es funktionierte. Harald erkannte die Gelegenheit mit dem umgekippten Bier und rief gleich, während er ein paar Pappdeckel in die Bierpfütze schmiss.

   „Da fällt mir noch ein. Bei Al Bundy, ein Mitstreiter der Kilo Fraktion, gab es mal ein Klo, dass so genannte Ferguson 1000. Der Einzige Nachteil ist nur, wenn es gespült wird, dann fallen in der ganzen Stadt die Brunnenfonteinen zusammen. Damit kann man doch leben."

Doch irgendwie kam das nicht so richtig durch und Wolfgang versuchte gleich mit seinem Intellekt anzuschließen.
   „3 Kg. Ich würde ja gerne mal eine Volumenberechung machen. Kennt jemand die spezifische Dichte von Scheiße?"

Nun, wahrhaftig, es war nicht viel, aber das Thema Scheißhaus schien in eine neue Richtung zu gehen. Jetzt, nach einigen Bierchen war wohl die Zeit gekommen, um so richtig mit Zahlen um sich zu werfen und Stefan, als Themenbegründer, fing auch gleich an, dort einzusteigen.
   „Gewogen hab ich noch keinen Haufen, eher rechnerisch ermittelt. Hab mich vorher auf die Waage

gestellt. Stolze 113,4 Kg, nach dem Geschäft waren es noch 111,6 Kg. Das macht, wenn man mal vernachlässigt was ich in den 30 min rausgeschwitzt habe, nach Adam Ries, 1,8 Kilo."

Er blickte mit zugekniffenen Augen, als würde er wirklich Ahnung von Mathematik haben, in Richtung Kneipenlampe, murmelte ein paar wilde Formeln in sich hinein und sprach:

„Also bei der Dichte würde ich mal auf irgendwas in der Nähe von 1 tippen – es ist doch bei fast allem so, was mit Tieren und Menschen zu tun hat."

Was für ein Gelehrter, ein Seher, ein Weiser! Er hatte es ja nun völlig drauf. Bevor jedoch jemand in der Lage wäre über die Zahl Eins nachzudenken, kam Harald schon wieder mit einer intellektuell angehauchten wissenschaftlichen Frage hinzu.

„Was zeigte denn die Waage bei drei kurz hintereinander durchgeführten Wägungen an, also ohne Schiss zwischendurch und Zeitabstand von nur ein paar Sekunden. Ist wegen der Nachvollziehbarkeit der Messung und so. Denn wenn dieses erste Experiment ermutigend verläuft, könntest du noch ermitteln, wie viel du in 30 min wirklich verschwitzt hast. Ich hab auch mal was von Biogaskraftwerken gelesen, ausgezeichnete CO_2 Bilanz, vielleicht wäre das was für euch, wenn ihr sowieso gerade beim renovieren seit..."

Wolfgang, welcher schon seit einiger Zeit verschiedenste Formeln und Zahlen in eine Bierlache vor sich mit dem Zeigefinger hineinschmierte, meldete sich mit fester erhabener Stimme zurück:

„Dichte = 1, mal sehen: 3000 g entsprechen 3000 qcm. 1 Zoll-Rohr r mal r mal Pi mal h = 3000, r = 1,27, h = 600 cm (?) Eine 6-Meter-Wurst? Oder habe ich mich verrechnet? Also du hast das durch wiegen herausgefunden? Hmmm. Deine Berechnung mit dem vorher und nachher wiegen würde natürlich voraussetzen, dass du während deines Geschäftes auch keinen Tropfen Pipi verloren hast. Meistens geht das aber zusammen ab. So das bei 1,8 Kilo Gewichtsverlust durchaus 800 Gramm Flüssigkeit mit dabei gewesen sein könnten. Dann bliebe noch immer ein stolzer Zweipfünder als Häufchen. Mir machen mittlerweile andere Dinge sorgen. Wenn du, wie du vorhin sagtest, einen Flachspüler von Villeroy & Boch hast stelle ich mir gerade vor, wie das Wasser beim Spülen gegen diesen Fels brandet. Da heißt es dann aber Deckel zu und zurücktreten.“

Der Wirt, welcher gerade eine neue Runde Bier vorbeibrachte fing schallend an zu lachen, welches durch sein enormes Doppelkinn zu einer Art Wiehern überging. Er hatte schon längere Zeit dieser etwas ungewöhnlichen und nicht zu überhörenden Gesprächsrunde gelauscht.

„Nicht den Deckel zumachen. Der haut dir ein Loch in die Decke. Bei diesen Massen sind jawohl auch entsprechende Flatulenzen zu vermuten. Wie wäre es denn mit einer thermischen Nutzung derselben? Wäre doch echt schade, wenn die Gase so ungenutzt verpuffen. Bei der Gelegenheit würde ich gleich noch die Häufchen mit verheizen.“ sprach`s und verschwand mit den leeren Gläsern.

Hans, der gerade mit einem Zug die Hälfte seines Bieres geleert hatte, schnipste mit seinen Fingern in der Luft umher, um so die Aufmerksamkeit auf sich zu lenken.

„3 Kg im Flachspüler. Das kann man doch nur in Etappen machen, so mit Zwischenspülungen und so.“

Die Runde stöhnte kurz auf. Irgendwie sind Hans in der letzten halben Stunde ein paar Gespräche entfallen. Es war schon möglich, dass es am Bier lag, welches er sich recht heftig in den Schlund goss. Nun, Hans war bestimmt auch von Natur aus nicht der hellste, aber sein Handwerk verstand er. Er durfte auf der Baustelle immer die vielen kleinen Dinge hin und her reichen.

„Aber nehmen wir mal an, dass seien 3 Liter, bei einem Wurstdurchmesser von etwa 4 cm, dann bekommt man eine W-Länge von 238,7 cm. Das ist doch unfassbar.“

Kopfschüttelnd hielt er inne und blickte zu Torsten. Dieser runzelte die Stirn, spielte sich am Kinn und sagte:

„Ich würde ja an Stefans stelle auch einmal bei der Deutschen Bahn nachfragen, ob die nicht so ein Absauge – Schlürf - Scheißhaus aus einem ICE zu Verfügung stellen könnten. Es darf dann nur kein Rohrkrepierer auftreten. Das Modell aus einem Nahverkehrszug reicht bei Euch bestimmt nicht aus. Vielleicht kann man das ja noch mit einem Forschungsauftrag verbinden Hahaha. Die ganze Kackanlage würde die Deutsche Bahn bezahlen. Man könnte dann noch mit einem Mikro das originale Fahrgeräusch bei 245, 0815 km/h, einmal mit Tunnel und einmal ohne Tunnel, im ICE erfassen und als

Geräuschkulisse, während der Geschäftszeit, dann das Bad damit beschallen... Hi Hi Hi"

Kichernd verstummte Torsten. Er konnte wahrhaftig über seine eigenen Witze lachen, so wie der Rest der Gruppe jetzt auch.

„Man könnte das ganze noch steigern und die Version aus den Verkehrsflugzeugen nutzen. Allerdings müssten dann auch die Druckverhältnisse und die Geschwindigkeit stimmen. Die Kurvenlage eines in einem normalen Badezimmer auf 1000 Km/h beschleunigten Villiboy & Bach Flachspülers mit einem 115 Kilo Fahrgast oben drauf würde mich dann aber eher beunruhigen." bemerkte Wolfgang, dem schon einige Worte schwer vielen ordnungsgemäß auszusprechen, ganz vortrefflich.

Während der Wirt eine weitere Runde Bier verteilte, bemerkte Harald:
„Ist ja schon echt Klasse. Bei dem Volumen im Flachspüler sitzt man dann irgendwann in seiner eigenen Kacke."

Dabei rutsche er etwas unruhig auf seinem Stuhl hin und her, so dass es auch ja jeder sehen konnte. So war er, der Harald. Da war Wolfgang wieder ganz fixe bei der Sache.
„Ich rechne mal schnell im Kopf das ganze durch."
Er malte wie bereits eine viertel Stunde vorher im verschütteten Bier auf dem Tisch umher und murmelte, so dass es auch alle gut hören konnten:
„ Äh - Volumen einer Säule - Pi mal r mal r mal h und h = Volumen / Pi mal r mal r Fertig! Mal angenommen: Dichte ist 2, Scheiße schwimmt nicht im Wasser, sondern geht sofort unter, b, Durchmesser einer Wurst ist der Einfachheit 2 cm. Äh, meine Folgerungen

deshalb. 1 kg Masse entsprechen 500 cm³ Volumen. Der Radius ist 1, also halber Durchmesser h = 500 / 3.14 mal 1 mal 1 = 159 cm. Nicht schlecht, eine stramme Leistung dürfte das schon sein."

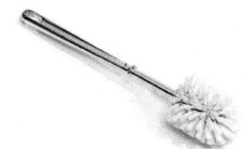

… Zu fortgeschrittener Zeit …

Die Zeit war ja schon etwas fortgeschrittener und Stefan hatte die ganze Zeit sich mit einer Bockwurst und einem Brötchen, welches der Wirt ihm vor einiger Zeit brachte, vergnügt. Stefan aß diese Würstchen für sein Leben gern. Es war völlig egal, ob warm ob kalt, oder auch wie lange sie schon in der Brühsoße vor sich rum garrten. Er aß sie einfach. Mit dem Brötchen den letzten Rest Senf vom Teller tunkend meldete er sich zurück.

„Mein Problem scheint ja wohl doch eher der allgemeinen Belustigung zu dienen. Ihr hättet mal dabei sein sollen, als wir im Baumarkt im Verkaufsraum standen und mein alter Herr zu dem Verkäufer sagte:

„Junger Mann, bei uns Zuhause wird 3-mal am Tag warm gegessen, sie glauben ja wohl nicht, dass ich mich dann auf so ein Mickymaus Klo setze, da ist das Desaster ja vorprogrammiert!"

Der Verkäufer hat fast geheult vor Lachen. Stefan kicherte ganz hämisch bei den letzten Worten.

„Er hat uns aber auch mit dem Argument getröstet, dass es nicht unbedingt einen großen Querschnitt erfordert, sich großer Geschäfte zu entledigen."

Torsten, der die ganze Zeit schon einen eher nachdenklichen Eindruck machte tönte:
„Na ihr seid ja ein paar ganz tolle Rechner. Kacke schwimmt ja wohl immer! Sonst würde unser gesamtes Kanalsystem nie und nimmer funktionieren. Man man man."

Das roch ein wenig nach Streit, aber immerhin ist Torsten jetzt die Erleuchtung gekommen.
„Klar, wenn du nur Milky Way isst, schwimmt die auch in Milch. Schwimmt die Scheiße in deinem Scheißhaus oben, oder geht sie unter? Würde mal drüber nachdenken."
konterte sofort Harald.
„Ich hab es schon einmal ausprobiert. Also meine ging unter! Aber das bleibt doch unter uns, sonst macht mich die Kommune bei der nächsten Verstopfung haftbar." freute er sich und irgendwie haperte es auch bei ihm schon einwenig an der Aussprache.

Der Wirt brachte gerade die nächste Runde Bier. Auch er hatte das eine oder andere mal und bei jeder weiteren Gelegenheit am Glas genippt und mischte im Thema jetzt mit.
„Steine zum Frühstück gehabt? Oder lag dir dein mieser Job so schwer im Magen. Ich glaube du solltest mehr Ballaststoffe essen. Übrigens wird in Sri Lanka aus Elefantenkacke Papier hergestellt. Da kommen ja bei Stefan schon mal so 17 - 20 Telefonbücher die Woche bei

rum. Hö, hö, hö, hö. Übrigens, als Bidet würde ich was von Kärcher nehmen.

Wolfgang, der nebenbei auch ein waschechter Dixi Toiletten Fan
war, sprach wieder mit der Stimme des geleerten:
„Ich sag nur Dixi! Das Dixi Standart, das Dixi Fresch und das Dixi Classic haben jeweils 250 Liter Fassungsvermögen. Das reicht bei 2,5 Liter Einlage pro Gang bei einer 4köpfigen Familie, äh - schnell mal durchrechnen - 4 mal 2,50 gleich 10 Liter pro Tag, - ja genau. Es reicht dann für knapp 25 Tage."
„Wer soviel kackt braucht kein großes Klo, sondern einen zweiten Ausgang am Hintern. Dann kann man sich alles besser einteilen." bemerkte ganz vortrefflich Hans aus seiner hintersten Tischecke.

Bei Torsten liefen jetzt all seine Gehirnzellen auf Hochtouren und so war er der erste, welcher mit einer besonderen Nachahmung eines Oberarztes aus irgendeiner Fernsehserie die Oberhand gewann. Dazu tupfte er sich mehrfach mit einer schmuddeligen Tischserviette die Stirn ab und sprach:

„So, der OP ist vorbereitet! Kernbohrgerät mit na hunderter Bohrkrone hab ich schon mal aufgebaut und sterilisiert! Wenn möglich bitte selbst eine hübsche Schwester mitbringen, meine Frau kann kein Blut sehen und von den Kassen gibt es nichts mehr! Wem die Kernbohrmaschine zu brutal ist, da ja nur örtlich mit Eisspray betäubt wird, dem kann ich auch noch mit einem Plasma Schneider zu Laibe rücken. Der macht einen ganz sauberen Schnitt! Es ist aber wohl besser, wir machen die Kernbohrung gleich im Bad am Boden, 132 mm müssten ausreichen. Wenn der Keller voll geschissen ist, wird die Entsorgungsfirma angerufen! Da müsste dann aber zur besseren Belüftung das Dach abgeschnitten werden, sonst vergasen selbst die Fliegen."

Der Tisch erzitterte kurz vor gefeixe aus allen Richtungen und schon wieder schwappte eine nicht ganz unerhebliche Menge Bier auf den Tisch. Während sich Hans die Hände an ein paar Tüchern, welche der Wirt freundlicher Weise vorbeibrachte, trocken wischte, hatte Wolfgang schon wieder nachgedacht und schwere Mängel bei der Dixi Klo Variante festgestellt.

„Mit dem Dixi, - da gibt es doch noch Hindernisse zu beseitigen. Die 2,5 Liter - Einlage bläht sich mit der Zeit auf! Da ist dann bei 25 Tagen schon längst der Pegel überschritten. Und einen stabilen Boden bräuchte man auch zur Aufstellung bei immerhin 600kg/m² an möglicher Last. Auf alle fälle ist das mit dem Dixi aber keine so schlechte Idee. Allerdings, bei dem gemeinen Klebeschiß entstände in der Mitte des Behälters in kürzester Zeit so eine Art Kleckerturm. Dieser würde zwar nach anfänglich zögerndem Wackeln langsam zu Seite kippen, sich aber nicht gleichmäßig im Behältnis verteilen. Um das zu umgehen müsste man das Häuschen auf eine Art „Shaker" stellen, um dann mittels rhythmischen Rüttelbewegungen eine gleichmäßige Verteilung der ganzen Kacke zu gewährleisten. Technisch ist das mit Sicherheit bestimmt machbar. Nur wird es bei den permanenten Vibrationen mit dem Zeitung lesen etwas schwierig.“

Wolfgang rüttelt am Tisch

Mit seinen Händen hatte Wolfgang am Tisch rumgerüttelt. Er wollte damit das Shakerprinzip seiner Dixivariante den Kollegen, welche in stummer Verzweiflung dem Treiben zusahen, etwas näher bringen. Das dabei mal wieder etwas Bier daneben ging, schien niemanden weiter zu interessieren.

Der Wirt, der die ganze Zeit halb mit dem Hintern auf dem Nebentisch saß und gespannt zu hörte, leerte die mittlerweile recht vollen Aschenbecher aus und stöhnte dabei einwenig. Er hob den Kopf und wandte allen sein rosiges, feistes Gesicht zu. Seine Stirn hatte sich in so tiefe Kummerfalten gelegt, dass er schielte, und die auftauchende Lustlosigkeit verliehen ihm ein jammervoll-komisches Aussehen.

„Ich habe Hunger und ich habe keine Lust mehr zu Arbeiten“ sprudelte es aus ihm heraus. Angesichts dieser Vermischung kindlicher Sorgen mit den Kümmernissen eines Erwachsenen wäre die Tischrunde beinahe in lautes Gelächter ausgebrochen. Doch Harald blickte in die Runde und stieß einen schrillen Schrei aus. Irgendetwas machte

Ihm offensichtlich zu schaffen. Die Zeichen waren nicht zu verkennen. Er wusste schon jetzt, dass Vibrationen nicht gut sein können.

„Und durch die Schwingungen muss man dann Kotzen."

Dabei tat er so, als müsse er wirklich würgen und sich über dem Tisch übergeben. Ja, so war er eben, der Harald.

„Dann brennt die Luft aber völlig! Oder aber nach dem Kacken einen Betonrüttler in die ganze Scheiße rein halten, dass hilft dann auch bestimmt! Jetzt weiß ich auch, warum im Werner Film Eckhard sagte: Sanitär Röhrich – Gass – Wasser -Scheissee".

Harald war ein schlechter Stimmenimitator. Er befingerte angestrengt seinen ehemals hellen Arbeitsanzug, welcher weit geöffnet einen Teil seiner behaarten und fleischigen Brust enthüllte, welche wiederum sich bei jedem der schweren, schnaufenden Atemzüge hob und senkte. Alle kannten Harald und natürlich auch die berühmten Werner Filme und grölten jetzt los. Von einer anderen Ecke der Kneipe konnte man noch etwas wie,
„Werner, du ick glob die Russen kommen", hören.

„Ob Scheiße oben schwimmt, hängt vom Gasgehalt ab. Das heißt, wenn Du recht schwammiges Zeug von dir gibst, dann ist die Dichte wohl deutlich kleiner als 1, dann wird die Luft recht dick." nuschelte Torsten kauend und grinste, wobei er einen Mund halbzerkauter Nahrung zu schau stellte. Auch er hatte sich mittlerweile ein paar von diesen total zerkochten Würstchen bestellt und labte sich genüsslich an Ihnen.

„Ich würde daher vorschlagen, vorsichtshalber im Elektrogeschäft die explosionssichere Installation von

Scheißhäusern anzufragen. Die Idee mit dem Shaker-Dixi ist aber gewiss super."

Wolfgang dehnte seine verkrampften Arme samt Muskeln und mit einem bereitwilligem zunicken und einem ebenso deutlichem Lächeln im Gesicht sprach er:
„Also, ich freue mich ja immer jemanden mit einem ähnlichen Problem gefunden zu haben. Ich habe bereits auf 4 Kontinenten Toiletten verstopft. Bei fremden Menschen bin ich nach einigen unangenehmen Erfahrungen zur Zwischenspülung übergegangen. Und dabei wiege ich gerade mal 75 kg. Am Klopapier lag das nie, denn z.B. in Mexiko kommt das Papier in einen Extrabehälter. Wie sieht das eigentlich bei euch aus, wenn ihr die Rohrkrepierer auf die Reise schickt. Bekommt die Kläranlage automatisch eine Meldung von euch oder macht ihr das telefonisch?" Hahaha.
„Man könnte aber auch ein Dreihunderter Abwasserrohr verlegen und mauert einfach eine Schüssel drum herum. Das müsste doch gehen." Hahaha. „Ich stell mir gerade den Kanalarbeiter vor, hahaha, dem es die Füße wegballert, weil so eine Granate, von Stefan kommend, mit ihm kollidiert" Alle grölten.
„Man müsste erst einmal prüfen, ob wegen der Giftgasentwicklung Stefans Haufen unter die Genfer Konvention fallen." Hahaha.

Und wieder lachten alle herzlich auf. Torsten blickte in Stefans Gesicht.
„Du solltest dich bei der Industrie- und Handelskammer wirklich mal nach dem Normschiss erkundigen. Die DIN-Nummer ist mir leider nicht bekannt. Aber die Haufen gibt es in verschiedensten Größen und Viskositäten. Die werden zur Bemessung der Schüsseln

und Dicke der Abflussrohre eingesetzt. Also unser Scheißhaus heißt Ideal Standard, mehr steht nicht auf der Schüssel, wobei - Ideal - wohl die Firma und – Standard - die Modellreihe ist. Die Schüssel ist aber geil. Die zieht einfach alles runter - mit oder ohne Papier, völlig egal und ich glaube, die hat sogar Spaß dabei! Vielleicht kannst Du ja im gut sortierten Sanitär-Fachhandel vor dem Kauf mal Probekacken. Frag doch mal nach!"

Wolfgang hatte natürlich wieder einmal Erfahrungen preiszugeben:
„Es gibt tatsächlich für voluminösere Geschichten Zerhäxler. Bei uns in der Firma sitzt hinter dem Klo ein kleiner Automat, der die Kacke in kleine Stücke schneidet und anschließend durch ein etwa 3 cm dickes Rohr Stückchenweise nach oben pumpt. Das ist völlig krank, aber wahr. Ich denke auch, dass ganze Verstopfungsproblem rührt eher von der Konstruktion der Spülung her, als vom Abgang. Ein Kumpel von mir hat einen Flachspüler mit Druckspülung. Das Ding hatte auch arge Probleme meine Buletten überhaupt von der Keramikzunge zu drücken, geschweige denn wegzuspülen. Wie sagte schon dieser eine begnadete Schauspieler: Gebt mir eine männliche Spülung und nicht so ein Gesäusel, gebt mir eine Ferguson. Kawuuuusch!!!" Hahaha.

Stefan war mittlerweile so ziemlich alles egal. Das lag mit Sicherheit auch an den Getränken.
„Ich habe gestern Abend noch mit meinem Nachbarn über das Thema diskutiert. Er sagte mir, dass er das Problem für gar nicht so abwegig hält. Er hatte den Fall letztes Jahr im Sommer auch schon mal. Er war 2 Wochen auf Malle und war dort, wenn ich ihm das mal glauben darf, kein einziges Mal auf dem Klo. Als er dann wieder zurück

war, überkam es ihm noch bevor er die Koffer abstellen konnte. Sein großer Haufen ging dann auch nur mit ach und krach durch den Abfluss. Und das auch nur mit gutem Willen und Poempel. Er hat ein Keramag WC, scheint wohl auch nicht so alltagstauglich zu sein."

Hans rief mit ganz weit aufgerissenen Augen gleich hinterher:

„Nach 2 Wochen ohne brauchte der dann aber kein Flugzeug für den Rückflug. Er war quasi sein eigener Heißluftballon."

Bevor die Runde wieder loszutoben drohte, kam Torsten zum Zuge:

„Da fällt mir gerade ein Fernsehbericht ein. Da die Chinesen in den Innenstädten in wirklich beengten Verhältnissen wohnen mit nur einem mini Bad ohne Fenster und Abzug, haben sich die Mädchen beschwert, dass ein längerer Aufenthalt im Bad unmöglich sei, wenn das Familienoberhaupt morgens vor der Arbeit den Thron bestiegen hat. Doch nun gibt es da wohl endlich Abhilfe. Es gibt jetzt so Pillen mit Duftstoffen, die immer abends von den Vätern eingenommen werden müssen, damit es dann morgens auch schön nach Menthol oder Fichtennadel duftet."

Ungläubig schauten sich die Kollegen an und schüttelten nur mit den Köpfen doch Harald konnte an so etwas natürlich wieder Gefallen finden:

„Jo, dass würden meine Mädels bei mir bestimmt auch gut finden. Ich bekomme auch immer Anschiss, wenn ich mal wieder vergessen habe das Fenster aufzumachen und eine halbe Stunde später eine das Klo betritt. Danken wir auf alle Fälle dem genialen Erfinder des Wasserklosetts Sir John Harington, ohne den wir wahrscheinlich noch heute auf dem Donnerbalken säßen! Wobei, dass wäre bestimmt auch nicht sooo schlecht!"

Plumpsklos in Plauen

„In Plauen, im Vogtland, gibt es heute noch Plumpsklos, wo ein mindestens 200er Steinzeugrohr aus dem 3 oder 4 Stock bis hinunter in die Grube reicht. Bei dieser Fallhöhe würden alle wissen wer gerade gekackt hat. Der im Erdgeschoß würde regelmäßig an Erdstöße denken. Kann aber in keinem Fall verstopfen, egal wie groß die Einlage ist. Also ab nach Plauen umziehen." sprach Harald.

Ja, genau. Alles zieht nach Plauen um, nur weil man dort besser Kacken kann. Wolfgang wandte sich wieder an Stefan:

„Kannst du die Art der Scheiße auch bestimmen, dann könnten wir dir vielleicht noch anders weiterhelfen. Ist es mehr so die Geisterscheiße bei der du weißt, dass Du geschissen hast und Du weist ja selber, - da ist Scheiße am Klopapier, aber keine Scheiße in der Schüssel. Könnte auch so eine Art Torpedoscheiße gewesen sein, wenn man es denn plumpsen gehört hat. Oder war es mehr die Teflonscheiße. Die kommt so sanft und weich raus, dass man es gar nicht merkt. Keine Spuren auf dem Klopapier. Wie verhext und du musst dann extra in die Kloschüssel nachschauen, um ganz sicherzugehen."

Na damit hatte ja Wolfgang in Schwarze getroffen. Der Phantasie waren nun keine Grenzen mehr gesetzt und jedem fiel auf Anhieb etwas dazu ein. Man konnte es an den Gesichtern eindeutig erkennen. Und sich gegenseitig fast ins Wort fallend jagte ein Spruch den nächsten.
Harald:
          „Ich kenne da noch die Gummischeiße. Diese hat die Konsistenz von heißem Teer und hinterlässt so widerspenstige Reste in der Kloschüssel. 20-mal wischt du dir den Arsch ab und er ist immer noch nicht sauber. Das endet dann meistens damit, dass man sich Klopapier in die Unterhosen stopft, um die nicht zu versauen. Einwenig ähnlich wie die Spätzünderscheiße. Da hast du dir mühselig den Hintern fertig abgewischt, stehst grade auf und der nächste Schub kommt. Ärgerlich wenn du in Zeitnot bist."
Torsten:
          „Oder, oder, oder die Schlangenscheiße." Rief er ganz in seinem Element. „Jene ist glitschig, hat die Dicke eines Daumens und ist mindestens, aber mindestens...", dabei zeigte er mit seinen großen Bauernhänden vor sich.
„also mindestens 50 cm lang und die hätte schon das Potential zur Torpedoscheiße, so wie die von Wolfgang. Aber nicht wie die Korkenscheiße. Diese ist ja auch als – Schwimmer -bekannt. Sogar nach dem dritten Mal spülen

ist sie noch da. Man gerät dann leicht in Panik. Oh Gott, oh Gott, oh Gott"

Dabei hob er wieder seine Hände, diesmal aber in Richtung Kneipendecke und legte einen recht flehenden Gesichtsausdruck ans Tageslicht.

„Wie wird man die wieder los? Das Scheißding geht einfach nicht unter. Tritt normalerweise überall auf, nur nicht in der eigenen Wohnung. Besser ist da die Wunschscheiße. Da sitz du ganz verträumt da, mit Ameisen in den Därmen, Du schwitzt, lässt ein paar Furze, tust einfach alles. Nur nicht scheißen!"

Bevor Torsten weiter ausholen konnte, fiel Wolfgang ihm ins Wort:

„Oh, ich sag nur feuchte Backen Scheiße. Diese Abart trifft mit Einer scheiß hohen Geschwindigkeit schräg auf die Wasseroberfläche auf und spritzt deinen aller wertesten jämmerlich nass. Dafür spart man sich aber das feuchte Klopapier."

Nun war es wieder einmal Zeit für ausführlichere Erfahrungsberichte, dachte sich Harald und legte auch gleich los:

„Ich hatte mal Kingkongscheisse. Kein Quatsch! Dieser Haufen war so groß, dass er sich weigerte, in der Kanalisation zu verschwinden. Ich musste ihn in kleinere Brocken zerlegen, mit einem Kleiderbügel. Passierte mir natürlich nicht zu Hause..."

Woran Elvis wirklich starb

Die Kneipe bebte vom Gejohle der wenigen zur fortgeschrittenen Stunde verbliebenen Kundschaft. Und Harald wusste die Situation sich zu seinem Gunsten zu nutze zu machen. Er setze also gleich noch mal so richtig nach.

„Ich habe mal gelesen, dass es da noch die Gehirnblutungsscheiße geben soll. Diese Scheiße hat Elvis auch umgebracht. Sie kommt normalerweise erst dann, wenn man vor lauter Drücken schon abwechselnd rot, grün und blau anläuft."

Gut das kein Elvis Fan in der Nähe war. Aber darauf achtete sowieso keiner so richtig mehr.

„Oder kennt ihr die Bierscheiße."
wollte Wolfgang wissen und die Kollegen nickten aus Erfahrung, denn das war eine der schlimmsten, aber auch einer der am häufigsten vorkommenden Scheißesorten. Sie tritt am Tag nach der Nacht davor auf. Normalerweise riecht sie gar nicht so schlecht, aber das täuscht. Das Kackesorten Thema war noch lange nicht voll ausgekostet und so setzt Torsten noch mit einer doch recht ausgefallenen Sorte nach.

„Und denkt an die Explosionsscheiße. Du besprühst die Schüssel von oben bis unten, bis sie aussieht, als sei sie mit einer Schrotladung Oregano beschossen worden und du wunderst dich, wie dein Loch in so viele Richtungen gleichzeitig zeigen kann. Dann stellst du fest, dass das Klopapier alle ist. Meistens ist dann auch weit und breit keine Klobürste in Sicht. Passiert auch meistens nur auf fremden Klos."

Das Thema schien an sich schon fast abgegrast zu sein, als Harald von seiner etwas hinteren Position aus wieder einmal eine etwas andere Richtung einschlug.

„Wie wäre es denn eventuell mit einem Verbrennungs- WC von Geberit? Es ist allerdings Propanbetrieben, welches Stefan allerdings ja dann selbst produzieren kann.

Das Problem mit dem A 380 Klo

Aber auch Torsten hatte andere Ideen im Kopf, welche er munter den anderen vertickern wollte.

„Mit einer beschichten Toilette und etwas Druck um dich herum, der kann auch von deiner Frau kommen, kannst du die Kacke absaugen. Über den A 380 hab ich da mal was gelesen. Spülung mit nur einem Glas Wasser."

Dabei hob er sein leeres Bierglas einwenig in die Höhe.

„Flugzeugtoiletten nutzen ja den Druckunterschied zwischen Kabine und Außenluft. Durch das Öffnen eines Ventils im Abwassertank entsteht ein Sog, der die Kloschüssel leer lutscht." dabei verzog Torsten sein Gesicht, als hätte er an einer Zitrone geleckt.

„Das spart Wasser und damit auch Gewicht. Für den A380 wurde extra eine Toilette entwickelt, die besonders sparsam mit dem Wasser umgeht. Für das Normalgeschäft spült die Toilette mit einem viertel Liter Wasser, also etwas weniger als ein Glas voll. Mehr Wasser ist auch nicht nötig, weil die Teflonbeschichtung der Schüssel dafür sorgt, dass nichts haften bleibt."

Harald kannte auch Teflon und teilte es allen mit. „Teflon wird auch als Antihaftbeschichtung für Bratpfannen benutzt und..." weiter kam er nicht, da Torsten lauter war.

„Aber Stefan, bei deinen 3 Kilo Geschäften da kann ich für dich nur hoffen, dass es keiner von deiner Gemeindeverwaltung erfährt. An deiner Stelle würde ich freiwillig einen höheren Betrag fürs Abwasser an die Gemeinde zahlen. Bis das alles im Klärwerk verdaut ist. Junge, Junge, Junge. Aber hast du schon einmal darüber nachgedacht dieses Talent zu vermarkten? Ein guter Anfang wäre in Wetten dass".

Hier hakte Harald wieder ein. Er ließ sich nicht so einfach überstimmen.

„Passendes Klopapier hätten wir ja schon mal. Im gut sortierten KFZ Werkstättenausrüster gibt es so genanntes Elefantenklopapier bzw. diese Rollen mit diesen grünen Papiertüchern. Breite etwa 350 mm und Länge 30 Meter und dazu die passende Schüssel. Wie wäre es denn mit einem direkten Rohr 1:1 vom Hausanschluss ins Bad verlegt. Man muss sich halt dann direkt auf das Rohr setzten und eine Spülung dazu basteln."

Torsten setzte gleich nach. Es schien, als gebe es hier einen kleinen Konkurrenzkampf, so eine Art Wettstreit unter Kollegen.

„Noch eine Anmerkung zum A 380. Wenn Stefan bei Airbus nett und höflich mal anfragt, entwickeln die bestimmt eine Version für ihn, welche man Ikealeicht ins Haus einbauen kann. Noch eine andere Idee von mir. Eine Mischung zwischen Gully und Badewanne wäre doch auch eine Lösung! Der Lochmesser des Gullys mit der menge des Wassers aus der Badewanne nimmt bestimmt alles mit. Garantiert!"

Nö, Harald war mit seinen Klopapierausführungen noch nicht so ganz fertig geworden und bemängelte es mit einem schiefen Gesichtsausdruck, dem aber niemand weiter Beachtung schenkte. Alle kannten Harald und ließen ihn bereitwillig reden, vielleicht war ja doch was Interessantes oder Witziges dabei.

„Zum Thema Klopapier sag ich nur Schleifpapier grobe Körnung. Ich habe auch schon einmal mit einem bekannten über so etwas gesprochen. Der leidet auch unter der so genannten Häufigkeit, im Volksmund auch Großhäufigkeit genannt. Er wollte mir mal seinen Haufen per Bild zur Begutachtung übermitteln."

Genau, darauf hatten alle schon lange gewartet. Harald mit seinen besonderen Ausführungen!

„Ferner kenn ich da auch jemanden, der zwei Wochen im Urlaub nicht kackt und zu Hause dann Steine fallen lässt. Das scheint alles nicht selten zu sein! Ich hatte das mal bei einer Diät, dass ich Tagelang nicht musste. Wenn ich dann mal ein Bier getrunken habe, ging es so ab, dass ich den Hintern leicht von der Schüssel anheben musste, um nicht meinen eigenen Haufen zu berühren. Kein Witz!"

Dabei kicherte er wieder vergnügt und belustigte auf diese Art und

Weise seine Zuhörer, welche dies mit einem Lachen bestätigten.

„Außerdem habt ihr den meist in Norddeutschland vorkommende Lüneburger Heidschnuckenschiss vergessen und die besteht aus vielen, bis zu Tischtennisballgroßen Kügelchen, die die unangenehmen Seiten der Feuchte Backen Scheiße in sich vereint. Tritt meist bei potentiellen Körner- und Knäckebrotfressern auf."

Das Ami Klo

Wolfgang stellte sein gerade geleertes Bierglas aus irgendeinem Grund verkehrt herum auf dem Tisch ab und mit gestreckter Brust sprach er zu den Tischgenossen:

„Das ganze ist schon ein sehr interessantes Problem. Ich habe sogar schon einmal die Unterdruckspülung im ICE zu geschissen. Kein Quatsch. Aber meiner Meinung nach ist der verlässliche Freund des Giganto-Haufen-Scheißers das Ami Klo. Die zumeist schwimmende Kacke landet in einem 10 l Becken. Beim Spülen entsteht so erst ein Strudel, welcher dann die Kacke in Stücken mitreißt. Die Euroschüssel sammelt den Haufen ja erst zu einer kompakten Masse und versucht ihn dann per nachlaufendes Wasser durchs dünne Röhrchen zu quetschen. Der Vorteil der Ami Schüssel ist außerdem, dass die Schüssel nicht überläuft, wenn die ganze Scheiße dann doch mal nicht durch geht. Die Fallhöhe ist auch geringer, was einen deutlichen Beitrag zum Spritzschutz leistet. Ich sag euch, ich habe schon alles zu geschissen. Aber noch nie ein Ami Flugplatzklo! Prost aufs Ami Scheißhaus".

44

Alle Prosteten mit und rissen ihr Glas nach oben und schluckten die Reste gierig runter. Der Wirt erkannte sofort, dass hier eine neue Runde fällig war.

„Wichtig ist nur, dass man auch wirklich die gewerbliche Schüssel nimmt und nicht solch ein Home Produkt. Das Ding mutet zwar an wie eine Badewanne, aber das ganze Elend läuft super das Rohr runter."
Wolfgang strich sich mit der rechten Hand durch die Haare und fummelte sich erst einmal eine Zigarette aus der aufgeweichten Schachtel.

„Bei manchen Betroffenen hilft oft nur noch der Veterinär. Hahaha" Harald kicherte wieder einmal über seine eigenen Witze.

„Ich finde die Sache als Weltrekord anzumelden auch nicht schlecht. Überall werden doch auf Stadtfesten solche Dinge gefordert. Der größte Apfelkuchen, die größte Pizza und so.... Somit sollte die Ankündigung des Rekordversuches 3kg Arsch- Krokant die Öffentlichkeit auf den Plan rufen! Oder Stefan, hast du mal darüber nachgedacht, ins Ruhrgebiet zu ziehen?"

Warum fragte Stefan einwenig gelangweilt.

„Na dort gibt es schöne kühle Höhlenwohnungen, mit Aufzug u.s.w. Da könntest du dann mithelfen verlassene Steinkohleflöze zu zuscheißen! Hi, Hi, Hi"
Harald legte den Kopf auf seine bereits schon längere Zeit vor ihm auf dem Tisch verschränkten Arme. Er lachte und

lachte. Torsten hatte noch einen Vorschlag im Ärmel und richtete diesen auch gleich an Stefan.

„Mein Onkel Manni hat einen Saug- und Spülwagen. Da passen so um die 9 Kubikmeter Matsche rein. Die Schläuche wären auch dick genug. Also theoretisch müsste man dann ein Klo mit so einem Ansaugstutzen basteln, den Antrieb per Fernsteuerung starten und dann braucht man nicht mal mehr drücken, weil es ja rausgesaugt wird. Das wäre doch eine Lösung. 60 m Schlauch verlegen sind gar kein Problem. Du könntest dir den Lastwagen auch in den Garten stellen".

Wolfgang hatte kein richtiges Glück mit den aufgeweichten Kippen. Er schleuderte sie durch den Raum und nahm sich wie selbstverständlich eine von Stefan. Klar, Kollegen helfen sich gegenseitig. Wolfgang führte die Amiklogeschichte fort:

„Ach, wegen dem Ami Klo noch mal. Mein erster Aufenthalt in den Vereinigten Staaten führte mich einst ins nahe New York. Als Unterkunft wählte ich ein Hotel, das von seinem verblassten Charme früherer Zeiten lebte."

Wolfgang, - der Mafiosi

Wolfgang lehnte sich nun einwenig zurück, ließ seinen linken Arm lässig über die Lehne des Stuhls baumeln und steckte sich wie ein Mafiosi die Kippe in den rechten Mundwinkel. Ein paar mal zog er heftig daran bis eine dicke Qualmwolke voll kaltem Rauch um ihn herum schwebte, nahm die Zigarette mit Daum und Zeigefinger der rechten Hand aus dem Mundwinkel und erzählte weiter.

„Irgendwann war es dann soweit. Ich benutzte das Klo in meinem Zimmer und wunderte mich kurz noch über den doch recht hohen Wasserstand in der Schüssel."
Dabei wedelte er nach Straßenmanie mit der Zigarettenhand in der Luft umher und tat dabei ganz wichtig.

„Ich entsann mich dann aber meiner peristaltischen Pflichten und legte los. Zwei Pfund später griff ich zum großzügig bereitgestellten Papier, legte auch dieses ins Wasserbad der Schüssel und zog ab. Was folgte war so eine Art supercooles Gurgeln aus dem tiefen Schlund der Keramik. Doch anstatt das Gemenge in den New Yorker Untergrund zu saugen, schickte sich die Schüssel an, das Bad zu fluten."

Wolfgang setzte sich aufrecht hin und klopfte ein wenig mit der Hand auf den Tisch.

„Recht schnell versuchte ich dem Hausmeister vom drohenden Unheil zu berichten. Der Herr schien aber etwas kürzer in den Staaten gewesen zu sein als ich, jedenfalls verstand er kein Wort. Immerhin konnte er sich meine Zimmernummer merken, denn nach zirka 20 Minuten, welche ich regungslos auf meinem Bett verbrachte, klopfte es aufgeregt an meiner Tür. Ein kleines Männchen, offensichtlich asiatischer Herkunft, druckste einwenig herum und schlich sich meinem Wink folgend verlegen durch mein Zimmer hin ins Bad. Nach einiger Zeit tauchte er wieder auf. Ich weiß nicht, was mittlerweile aus dem Bad geworden war. Alles was ich sehen konnte war mein Kulturbeutel, der solide auf etwas herumtrieb."

Wolfgang machte mit seinen Händen in der Luft Wellenbewegungen.

47

„Es sah alles aus wie eine Mischung alter Cola und sämigem Getriebeöl. Jedenfalls stand der arme Wicht zitternd bei mir im Raum und verlangte nach dem Telefon. Ich erfüllte ihm diesen Wunsch. Er rief seinen Chef an und was er dem berichtete, gehörte zum zauberhaftesten und poetischsten, was ich je über Europäer gehört habe, die zu dumm sind, in Ami-Klos zu scheißen:
No, Boss, no, no water... only... kackakacka... Ich bekam dann ein anderes Zimmer."

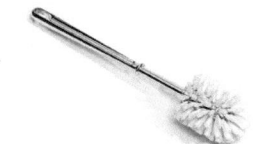

Die Runde lag flach. Alle Hämmerten jetzt wie wild auf dem Tisch herum, zwei Gläser kippten um und alles grölte vor Vergnügen. Diese Story war echt der Hammer und nur schwer zu toppen. Dok Assi brachte die nächste Runde Bier und hatte irgendwie etwas Mühe mit dem Zählen, denn es waren eindeutig zu viele gezapfte Gläser. Er stellte erst einmal alle auf dem Tisch ab und die Kollegen verteilten auch bereitwillig die Gläser.

„Danke für eure super geilen Ideen"
sagte Stefan in die Runde, während er sein Bierglas vor sich hinstellte. Alle waren gerade mit der Flüssigkeitszufuhr beschäftigt und hörten ihm zu.

„Aber ernsthaft. Jetzt werde ich meine Planung überdenken und ändern. Bürste, Besen, Kärcher, Stadtwerke-Absaugwagen, A380. Das A380-WC ist wohl die beste Lösung, wenn man nicht mit dem Küchenmixer arbeiten will. Ich Werde die dafür benötigte Landebahn ganz einfach im Garten bauen lassen, da man ja mit dem Klo im A380 auch der Fürsorgepflicht, also dem Schutz der Kanalarbeiter vor den erwähnten Granaten, nachkommen muss. Ich brauche ja selber nicht mitfliegen. Die Entsorgung übernimmt dann das Pilotenteam einmal die Woche. Ich werde wohl eine Anfrage an Airbus schicken um auch sicher zu stellen, dass es zu keinen Problemen wie durchschossenen Außenwänden kommen kann. Die werden dann bestimmt auch noch unterschiedliche Härtegrade testen, bevor die guten Leute mir Bescheid geben."

Harald merkte an.

„Und wer keinen Platz für den Riesenflieger hat, könnte doch die Häufchen in kleinen Formen trocknen und so die Ziegelbranche revolutionieren. Aber alt bewährt und eine gute Lösung währe der Donnerbalken. Musst nur nach jedem Stuhlgang Kalk drüber tun und natürlich tief genug graben. Wenn dann das Loch voll ist, einfach einen Meter weiter noch mal buddeln."

Harald sprach da mal wieder aus eigener Erfahrung.

„Übrigens, wir waren im vergangenen Jahr in Kanada mit dem Wohnmobil unterwegs. Die Toilette in so einem Wohnmobil ist auch sehr praktisch. Die verträgt locker so 5-6 Pfünder. Die blaue Flüssigkeit bekommt alles klein."

Dabei nahm er einige von den fast völlig aufgeweichten Pappbierdeckeln, die in zahlreicher Menge auf dem Tisch herum lagen, in seine rechte Hand und zerquetschte sie mit aller Macht, so dass sich nur noch Zellstoffmatsche zwischen seinen Fingern befand.

„Stefan, dies ist die Lösung, vor jedem Schiss so blaue Flüssigkeit in die Keramik, nur aufpassen, das es dann nicht spritzt. Sonst musst du womöglich in den Knabenchor."

Das Dilemma mit dem Wohnmobil

Harald kicherte wieder in alt gewohnter Weise und ungeduldig fragte Stefan nach, wie die Story nun weiter ging.

„Nun, beim Entleeren gibt es da so kleine Feinheiten. Wir wollten also unsere Wohnmobiltoilette leeren. Dazu zog ich zur Sicherheit Gummihandschuhe an. Dann muss man auf dem „Platz der Entleerung" einen etwa 8 cm dicken Schlauch außen am Wagen anschließen, dass andere Ende in den Abfluss auf dem Stellplatz im Boden stecken und den Hahn öffnen. So in etwa das Prinzip dort im fernen Kanada. Wir wollten also früh vom Platz los. Unsere direkten Stellplatznachbarn waren gerade am Frühstück.

Ich hatte schon in Deutschland zwei Wochen Übung mit dem Entsorgen von solchem Klo hinter mir, ich war schon Profi. Den Schlauch also ganz fixe am Fahrzeug angeschlossen und das andere Ende in das Loch. Ging auch alles recht einfach. Von den Löchern im Boden gab es zwei. Ein kleines und ein großes. In das Große Loch ging der Schlauch besser rein. Also ins Große. Hahn geöffnet und natürlich kam die ganze aufgelöste Scheiße mit ziemlich hoher Geschwindigkeit aus dem Loch geschossen. In voller Verzweiflung habe ich den Hahn zugedrückt.

Dann musste ich mich aufgrund des voll üblen Gestanks erst einmal übergeben. Die Nachbarn waren gerade am Frühstücken und dann auch fertig mit essen. Nach mehreren Minuten Frischluft habe ich die ganze Kacke abgespritzt und das Fahrzeug an das nächste Loch gefahren. Dort wieder den Schlauch rein, Hahn auf und wieder, die ganze Scheiße oben raus. Wieder Loch verstopft. Ich bin dann wütend zur Campingplatzleitung und habe mich da mächtig aufgeregt. Der Platzchef hat mir mit einem grinsenden Gesicht erklärt, dass das kleine Loch der Abfluss ist und das große Loch der Rasensprenger.“

Das war echt der Wahnsinn, alle lagen flach auf dem Tisch vor lachen. Harald hatte alles getoppt, er war der wahre Held an diesem Abend. Das konnte nicht mehr überboten werden. Der Wirt Doktor Assi schwabbelte immer noch mit seinem Doppelkinn vor gefeixe und munterte die ganze Bande auf, endlich zum Schluss zu kommen. Er wolle doch auch mal endlich Feierabend machen. Armes tütüt! Sodann tranken alle die Reste aus ihren Gläsern und erhoben sich schweren Hauptes. Der eine oder andere rückte noch den Stuhl zurecht. Man verabschiedete sich von Dok Assi, welcher mal wieder in das schon bereitgelegte Stammgastkassenbuch anschreiben musste.

DankeDankeDankeDankeDankeDanke

Ein großes Dankeschön an Stefan E., me.max, mestefan, benita, David, A.Wilkens, und weiteren Ideenspendenden Hirnen, welche letztendlich dazu beitrugen, dass das Thema Scheißen endlich mal anständig thematisiert wurde bzw. wird. Und allen anderen, besonders die ewigen Skeptiker, Besserwisser, Neider, Kritiker und Zweifler – zieht Euch mal die folgende Webadresse ausführlich rein damit ihr endlich mal merkt, dass auch Ihr Scheiße fabriziert, welche dann auch entsorgt werden muss. Viel Spaß beim nächsten Kacken!

Euer Ylog Namron und die Drückerbande ;-)

www.haustechnikdialog.de

Nichts für Heimscheißer jetzt auch im Internet unter

www.xantaria-projekt.de/nfhs

Schreibt wie Euch das Buch gefallen hat und liefert Ideen für ein Neues Buchprojekt, wo Ihr dann mit etwas Glück und tollen Ideen dabei sein könnt.

Vielen Dank unserem Sponsor für die Bereitstellung der Web Präsenz.

Reserve	Scheißhauspapier	Reserve	Scheißhauspapier
Reserve	Scheißhauspapier	Reserve	Scheißhauspapier
Reserve	Scheißhauspapier	Reserve	Scheißhauspapier
Reserve	Scheißhauspapier	Reserve	Scheißhauspapier
Reserve	Scheißhauspapier	Reserve	Scheißhauspapier
Reserve	Scheißhauspapier	Reserve	Scheißhauspapier
Reserve	Scheißhauspapier	Reserve	Scheißhauspapier
Reserve	Scheißhauspapier	Reserve	Scheißhauspapier
Reserve	Scheißhauspapier	Reserve	Scheißhauspapier
Reserve	Scheißhauspapier	Reserve	Scheißhauspapier
Reserve	Scheißhauspapier	Reserve	Scheißhauspapier
Reserve	Scheißhauspapier	Reserve	Scheißhauspapier
Reserve	Scheißhauspapier	Reserve	Scheißhauspapier
Reserve	Scheißhauspapier	Reserve	Scheißhauspapier
Reserve	Scheißhauspapier	Reserve	Scheißhauspapier
Reserve	Scheißhauspapier	Reserve	Scheißhauspapier
Reserve	Scheißhauspapier	Reserve	Scheißhauspapier
Reserve	Scheißhauspapier	Reserve	Scheißhauspapier
Reserve	Scheißhauspapier	Reserve	Scheißhauspapier
Reserve	Scheißhauspapier	Reserve	Scheißhauspapier
Reserve	Scheißhauspapier	Reserve	Scheißhauspapier
Reserve	Scheißhauspapier	Reserve	Scheißhauspapier
Reserve	Scheißhauspapier	Reserve	Scheißhauspapier
Reserve	Scheißhauspapier	Reserve	Scheißhauspapier
Reserve	Scheißhauspapier	Reserve	Scheißhauspapier
Reserve	Scheißhauspapier	Reserve	Scheißhauspapier
Reserve	Scheißhauspapier	Reserve	Scheißhauspapier
Reserve	Scheißhauspapier	Reserve	Scheißhauspapier
Reserve	Scheißhauspapier	Reserve	Scheißhauspapier
Reserve	Scheißhauspapier	Reserve	Scheißhauspapier
Reserve	Scheißhauspapier	Reserve	Scheißhauspapier
Reserve	Scheißhauspapier	Reserve	Scheißhauspapier

Reserve	Scheißhauspapier	Reserve	Scheißhauspapier
Reserve	Scheißhauspapier	Reserve	Scheißhauspapier
Reserve	Scheißhauspapier	Reserve	Scheißhauspapier
Reserve	Scheißhauspapier	Reserve	Scheißhauspapier
Reserve	Scheißhauspapier	Reserve	Scheißhauspapier
Reserve	Scheißhauspapier	Reserve	Scheißhauspapier
Reserve	Scheißhauspapier	Reserve	Scheißhauspapier
Reserve	Scheißhauspapier	Reserve	Scheißhauspapier
Reserve	Scheißhauspapier	Reserve	Scheißhauspapier
Reserve	Scheißhauspapier	Reserve	Scheißhauspapier
Reserve	Scheißhauspapier	Reserve	Scheißhauspapier
Reserve	Scheißhauspapier	Reserve	Scheißhauspapier
Reserve	Scheißhauspapier	Reserve	Scheißhauspapier
Reserve	Scheißhauspapier	Reserve	Scheißhauspapier
Reserve	Scheißhauspapier	Reserve	Scheißhauspapier
Reserve	Scheißhauspapier	Reserve	Scheißhauspapier
Reserve	Scheißhauspapier	Reserve	Scheißhauspapier
Reserve	Scheißhauspapier	Reserve	Scheißhauspapier
Reserve	Scheißhauspapier	Reserve	Scheißhauspapier
Reserve	Scheißhauspapier	Reserve	Scheißhauspapier
Reserve	Scheißhauspapier	Reserve	Scheißhauspapier
Reserve	Scheißhauspapier	Reserve	Scheißhauspapier
Reserve	Scheißhauspapier	Reserve	Scheißhauspapier
Reserve	Scheißhauspapier	Reserve	Scheißhauspapier
Reserve	Scheißhauspapier	Reserve	Scheißhauspapier
Reserve	Scheißhauspapier	Reserve	Scheißhauspapier
Reserve	Scheißhauspapier	Reserve	Scheißhauspapier
Reserve	Scheißhauspapier	Reserve	Scheißhauspapier
Reserve	Scheißhauspapier	Reserve	Scheißhauspapier
Reserve	Scheißhauspapier	Reserve	Scheißhauspapier
Reserve	Scheißhauspapier	Reserve	Scheißhauspapier
Reserve	Scheißhauspapier	Reserve	Scheißhauspapier
Reserve	Scheißhauspapier	Reserve	Scheißhauspapier

Reserve	Scheißhauspapier	Reserve	Scheißhauspapier
Reserve	Scheißhauspapier	Reserve	Scheißhauspapier
Reserve	Scheißhauspapier	Reserve	Scheißhauspapier
Reserve	Scheißhauspapier	Reserve	Scheißhauspapier
Reserve	Scheißhauspapier	Reserve	Scheißhauspapier
Reserve	Scheißhauspapier	Reserve	Scheißhauspapier
Reserve	Scheißhauspapier	Reserve	Scheißhauspapier
Reserve	Scheißhauspapier	Reserve	Scheißhauspapier
Reserve	Scheißhauspapier	Reserve	Scheißhauspapier
Reserve	Scheißhauspapier	Reserve	Scheißhauspapier
Reserve	Scheißhauspapier	Reserve	Scheißhauspapier
Reserve	Scheißhauspapier	Reserve	Scheißhauspapier
Reserve	Scheißhauspapier	Reserve	Scheißhauspapier
Reserve	Scheißhauspapier	Reserve	Scheißhauspapier
Reserve	Scheißhauspapier	Reserve	Scheißhauspapier
Reserve	Scheißhauspapier	Reserve	Scheißhauspapier
Reserve	Scheißhauspapier	Reserve	Scheißhauspapier
Reserve	Scheißhauspapier	Reserve	Scheißhauspapier
Reserve	Scheißhauspapier	Reserve	Scheißhauspapier
Reserve	Scheißhauspapier	Reserve	Scheißhauspapier
Reserve	Scheißhauspapier	Reserve	Scheißhauspapier
Reserve	Scheißhauspapier	Reserve	Scheißhauspapier
Reserve	Scheißhauspapier	Reserve	Scheißhauspapier
Reserve	Scheißhauspapier	Reserve	Scheißhauspapier
Reserve	Scheißhauspapier	Reserve	Scheißhauspapier
Reserve	Scheißhauspapier	Reserve	Scheißhauspapier
Reserve	Scheißhauspapier	Reserve	Scheißhauspapier
Reserve	Scheißhauspapier	Reserve	Scheißhauspapier
Reserve	Scheißhauspapier	Reserve	Scheißhauspapier
Reserve	Scheißhauspapier	Reserve	Scheißhauspapier
Reserve	Scheißhauspapier	Reserve	Scheißhauspapier
Reserve	Scheißhauspapier	Reserve	Scheißhauspapier
Reserve	Scheißhauspapier	Reserve	Scheißhauspapier

Reserve	Scheißhauspapier	Reserve	Scheißhauspapier
Reserve	Scheißhauspapier	Reserve	Scheißhauspapier
Reserve	Scheißhauspapier	Reserve	Scheißhauspapier
Reserve	Scheißhauspapier	Reserve	Scheißhauspapier
Reserve	Scheißhauspapier	Reserve	Scheißhauspapier
Reserve	Scheißhauspapier	Reserve	Scheißhauspapier
Reserve	Scheißhauspapier	Reserve	Scheißhauspapier
Reserve	Scheißhauspapier	Reserve	Scheißhauspapier
Reserve	Scheißhauspapier	Reserve	Scheißhauspapier
Reserve	Scheißhauspapier	Reserve	Scheißhauspapier
Reserve	Scheißhauspapier	Reserve	Scheißhauspapier
Reserve	Scheißhauspapier	Reserve	Scheißhauspapier
Reserve	Scheißhauspapier	Reserve	Scheißhauspapier
Reserve	Scheißhauspapier	Reserve	Scheißhauspapier
Reserve	Scheißhauspapier	Reserve	Scheißhauspapier
Reserve	Scheißhauspapier	Reserve	Scheißhauspapier
Reserve	Scheißhauspapier	Reserve	Scheißhauspapier
Reserve	Scheißhauspapier	Reserve	Scheißhauspapier
Reserve	Scheißhauspapier	Reserve	Scheißhauspapier
Reserve	Scheißhauspapier	Reserve	Scheißhauspapier
Reserve	Scheißhauspapier	Reserve	Scheißhauspapier
Reserve	Scheißhauspapier	Reserve	Scheißhauspapier
Reserve	Scheißhauspapier	Reserve	Scheißhauspapier
Reserve	Scheißhauspapier	Reserve	Scheißhauspapier
Reserve	Scheißhauspapier	Reserve	Scheißhauspapier
Reserve	Scheißhauspapier	Reserve	Scheißhauspapier
Reserve	Scheißhauspapier	Reserve	Scheißhauspapier
Reserve	Scheißhauspapier	Reserve	Scheißhauspapier
Reserve	Scheißhauspapier	Reserve	Scheißhauspapier
Reserve	Scheißhauspapier	Reserve	Scheißhauspapier
Reserve	Scheißhauspapier	Reserve	Scheißhauspapier
Reserve	Scheißhauspapier	Reserve	Scheißhauspapier

Reserve	Scheißhauspapier	Reserve	Scheißhauspapier
Reserve	Scheißhauspapier	Reserve	Scheißhauspapier
Reserve	Scheißhauspapier	Reserve	Scheißhauspapier
Reserve	Scheißhauspapier	Reserve	Scheißhauspapier
Reserve	Scheißhauspapier	Reserve	Scheißhauspapier
Reserve	Scheißhauspapier	Reserve	Scheißhauspapier
Reserve	Scheißhauspapier	Reserve	Scheißhauspapier
Reserve	Scheißhauspapier	Reserve	Scheißhauspapier
Reserve	Scheißhauspapier	Reserve	Scheißhauspapier
Reserve	Scheißhauspapier	Reserve	Scheißhauspapier
Reserve	Scheißhauspapier	Reserve	Scheißhauspapier
Reserve	Scheißhauspapier	Reserve	Scheißhauspapier
Reserve	Scheißhauspapier	Reserve	Scheißhauspapier
Reserve	Scheißhauspapier	Reserve	Scheißhauspapier
Reserve	Scheißhauspapier	Reserve	Scheißhauspapier
Reserve	Scheißhauspapier	Reserve	Scheißhauspapier
Reserve	Scheißhauspapier	Reserve	Scheißhauspapier
Reserve	Scheißhauspapier	Reserve	Scheißhauspapier
Reserve	Scheißhauspapier	Reserve	Scheißhauspapier
Reserve	Scheißhauspapier	Reserve	Scheißhauspapier
Reserve	Scheißhauspapier	Reserve	Scheißhauspapier
Reserve	Scheißhauspapier	Reserve	Scheißhauspapier
Reserve	Scheißhauspapier	Reserve	Scheißhauspapier
Reserve	Scheißhauspapier	Reserve	Scheißhauspapier
Reserve	Scheißhauspapier	Reserve	Scheißhauspapier
Reserve	Scheißhauspapier	Reserve	Scheißhauspapier
Reserve	Scheißhauspapier	Reserve	Scheißhauspapier
Reserve	Scheißhauspapier	Reserve	Scheißhauspapier
Reserve	Scheißhauspapier	Reserve	Scheißhauspapier
Reserve	Scheißhauspapier	Reserve	Scheißhauspapier
Reserve	Scheißhauspapier	Reserve	Scheißhauspapier
Reserve	Scheißhauspapier	Reserve	Scheißhauspapier

Reserve	Scheißhauspapier	Reserve	Scheißhauspapier
Reserve	Scheißhauspapier	Reserve	Scheißhauspapier
Reserve	Scheißhauspapier	Reserve	Scheißhauspapier
Reserve	Scheißhauspapier	Reserve	Scheißhauspapier
Reserve	Scheißhauspapier	Reserve	Scheißhauspapier
Reserve	Scheißhauspapier	Reserve	Scheißhauspapier
Reserve	Scheißhauspapier	Reserve	Scheißhauspapier
Reserve	Scheißhauspapier	Reserve	Scheißhauspapier
Reserve	Scheißhauspapier	Reserve	Scheißhauspapier
Reserve	Scheißhauspapier	Reserve	Scheißhauspapier
Reserve	Scheißhauspapier	Reserve	Scheißhauspapier
Reserve	Scheißhauspapier	Reserve	Scheißhauspapier
Reserve	Scheißhauspapier	Reserve	Scheißhauspapier
Reserve	Scheißhauspapier	Reserve	Scheißhauspapier
Reserve	Scheißhauspapier	Reserve	Scheißhauspapier
Reserve	Scheißhauspapier	Reserve	Scheißhauspapier
Reserve	Scheißhauspapier	Reserve	Scheißhauspapier
Reserve	Scheißhauspapier	Reserve	Scheißhauspapier
Reserve	Scheißhauspapier	Reserve	Scheißhauspapier
Reserve	Scheißhauspapier	Reserve	Scheißhauspapier
Reserve	Scheißhauspapier	Reserve	Scheißhauspapier
Reserve	Scheißhauspapier	Reserve	Scheißhauspapier
Reserve	Scheißhauspapier	Reserve	Scheißhauspapier
Reserve	Scheißhauspapier	Reserve	Scheißhauspapier
Reserve	Scheißhauspapier	Reserve	Scheißhauspapier
Reserve	Scheißhauspapier	Reserve	Scheißhauspapier
Reserve	Scheißhauspapier	Reserve	Scheißhauspapier
Reserve	Scheißhauspapier	Reserve	Scheißhauspapier
Reserve	Scheißhauspapier	Reserve	Scheißhauspapier
Reserve	Scheißhauspapier	Reserve	Scheißhauspapier
Reserve	Scheißhauspapier	Reserve	Scheißhauspapier
Reserve	Scheißhauspapier	Reserve	Scheißhauspapier

Reserve	Scheißhauspapier	Reserve	Scheißhauspapier
Reserve	Scheißhauspapier	Reserve	Scheißhauspapier
Reserve	Scheißhauspapier	Reserve	Scheißhauspapier
Reserve	Scheißhauspapier	Reserve	Scheißhauspapier
Reserve	Scheißhauspapier	Reserve	Scheißhauspapier
Reserve	Scheißhauspapier	Reserve	Scheißhauspapier
Reserve	Scheißhauspapier	Reserve	Scheißhauspapier
Reserve	Scheißhauspapier	Reserve	Scheißhauspapier
Reserve	Scheißhauspapier	Reserve	Scheißhauspapier
Reserve	Scheißhauspapier	Reserve	Scheißhauspapier
Reserve	Scheißhauspapier	Reserve	Scheißhauspapier
Reserve	Scheißhauspapier	Reserve	Scheißhauspapier
Reserve	Scheißhauspapier	Reserve	Scheißhauspapier
Reserve	Scheißhauspapier	Reserve	Scheißhauspapier
Reserve	Scheißhauspapier	Reserve	Scheißhauspapier
Reserve	Scheißhauspapier	Reserve	Scheißhauspapier
Reserve	Scheißhauspapier	Reserve	Scheißhauspapier
Reserve	Scheißhauspapier	Reserve	Scheißhauspapier
Reserve	Scheißhauspapier	Reserve	Scheißhauspapier
Reserve	Scheißhauspapier	Reserve	Scheißhauspapier
Reserve	Scheißhauspapier	Reserve	Scheißhauspapier
Reserve	Scheißhauspapier	Reserve	Scheißhauspapier
Reserve	Scheißhauspapier	Reserve	Scheißhauspapier
Reserve	Scheißhauspapier	Reserve	Scheißhauspapier
Reserve	Scheißhauspapier	Reserve	Scheißhauspapier
Reserve	Scheißhauspapier	Reserve	Scheißhauspapier
Reserve	Scheißhauspapier	Reserve	Scheißhauspapier
Reserve	Scheißhauspapier	Reserve	Scheißhauspapier
Reserve	Scheißhauspapier	Reserve	Scheißhauspapier
Reserve	Scheißhauspapier	Reserve	Scheißhauspapier
Reserve	Scheißhauspapier	Reserve	Scheißhauspapier
Reserve	Scheißhauspapier	Reserve	Scheißhauspapier

Reserve	Scheißhauspapier	Reserve	Scheißhauspapier
Reserve	Scheißhauspapier	Reserve	Scheißhauspapier
Reserve	Scheißhauspapier	Reserve	Scheißhauspapier
Reserve	Scheißhauspapier	Reserve	Scheißhauspapier
Reserve	Scheißhauspapier	Reserve	Scheißhauspapier
Reserve	Scheißhauspapier	Reserve	Scheißhauspapier
Reserve	Scheißhauspapier	Reserve	Scheißhauspapier
Reserve	Scheißhauspapier	Reserve	Scheißhauspapier
Reserve	Scheißhauspapier	Reserve	Scheißhauspapier
Reserve	Scheißhauspapier	Reserve	Scheißhauspapier
Reserve	Scheißhauspapier	Reserve	Scheißhauspapier
Reserve	Scheißhauspapier	Reserve	Scheißhauspapier
Reserve	Scheißhauspapier	Reserve	Scheißhauspapier
Reserve	Scheißhauspapier	Reserve	Scheißhauspapier
Reserve	Scheißhauspapier	Reserve	Scheißhauspapier
Reserve	Scheißhauspapier	Reserve	Scheißhauspapier
Reserve	Scheißhauspapier	Reserve	Scheißhauspapier
Reserve	Scheißhauspapier	Reserve	Scheißhauspapier
Reserve	Scheißhauspapier	Reserve	Scheißhauspapier
Reserve	Scheißhauspapier	Reserve	Scheißhauspapier
Reserve	Scheißhauspapier	Reserve	Scheißhauspapier
Reserve	Scheißhauspapier	Reserve	Scheißhauspapier
Reserve	Scheißhauspapier	Reserve	Scheißhauspapier
Reserve	Scheißhauspapier	Reserve	Scheißhauspapier
Reserve	Scheißhauspapier	Reserve	Scheißhauspapier
Reserve	Scheißhauspapier	Reserve	Scheißhauspapier
Reserve	Scheißhauspapier	Reserve	Scheißhauspapier
Reserve	Scheißhauspapier	Reserve	Scheißhauspapier
Reserve	Scheißhauspapier	Reserve	Scheißhauspapier
Reserve	Scheißhauspapier	Reserve	Scheißhauspapier
Reserve	Scheißhauspapier	Reserve	Scheißhauspapier
Reserve	Scheißhauspapier	Reserve	Scheißhauspapier
Reserve	Scheißhauspapier	Reserve	Scheißhauspapier

Reserve	Scheißhauspapier	Reserve	Scheißhauspapier
Reserve	Scheißhauspapier	Reserve	Scheißhauspapier
Reserve	Scheißhauspapier	Reserve	Scheißhauspapier
Reserve	Scheißhauspapier	Reserve	Scheißhauspapier
Reserve	Scheißhauspapier	Reserve	Scheißhauspapier
Reserve	Scheißhauspapier	Reserve	Scheißhauspapier
Reserve	Scheißhauspapier	Reserve	Scheißhauspapier
Reserve	Scheißhauspapier	Reserve	Scheißhauspapier
Reserve	Scheißhauspapier	Reserve	Scheißhauspapier
Reserve	Scheißhauspapier	Reserve	Scheißhauspapier
Reserve	Scheißhauspapier	Reserve	Scheißhauspapier
Reserve	Scheißhauspapier	Reserve	Scheißhauspapier
Reserve	Scheißhauspapier	Reserve	Scheißhauspapier
Reserve	Scheißhauspapier	Reserve	Scheißhauspapier
Reserve	Scheißhauspapier	Reserve	Scheißhauspapier
Reserve	Scheißhauspapier	Reserve	Scheißhauspapier
Reserve	Scheißhauspapier	Reserve	Scheißhauspapier
Reserve	Scheißhauspapier	Reserve	Scheißhauspapier
Reserve	Scheißhauspapier	Reserve	Scheißhauspapier
Reserve	Scheißhauspapier	Reserve	Scheißhauspapier
Reserve	Scheißhauspapier	Reserve	Scheißhauspapier
Reserve	Scheißhauspapier	Reserve	Scheißhauspapier
Reserve	Scheißhauspapier	Reserve	Scheißhauspapier
Reserve	Scheißhauspapier	Reserve	Scheißhauspapier
Reserve	Scheißhauspapier	Reserve	Scheißhauspapier
Reserve	Scheißhauspapier	Reserve	Scheißhauspapier
Reserve	Scheißhauspapier	Reserve	Scheißhauspapier
Reserve	Scheißhauspapier	Reserve	Scheißhauspapier
Reserve	Scheißhauspapier	Reserve	Scheißhauspapier
Reserve	Scheißhauspapier	Reserve	Scheißhauspapier
Reserve	Scheißhauspapier	Reserve	Scheißhauspapier
Reserve	Scheißhauspapier	Reserve	Scheißhauspapier

Reserve	Scheißhauspapier	Reserve	Scheißhauspapier
Reserve	Scheißhauspapier	Reserve	Scheißhauspapier
Reserve	Scheißhauspapier	Reserve	Scheißhauspapier
Reserve	Scheißhauspapier	Reserve	Scheißhauspapier
Reserve	Scheißhauspapier	Reserve	Scheißhauspapier
Reserve	Scheißhauspapier	Reserve	Scheißhauspapier
Reserve	Scheißhauspapier	Reserve	Scheißhauspapier
Reserve	Scheißhauspapier	Reserve	Scheißhauspapier
Reserve	Scheißhauspapier	Reserve	Scheißhauspapier
Reserve	Scheißhauspapier	Reserve	Scheißhauspapier
Reserve	Scheißhauspapier	Reserve	Scheißhauspapier
Reserve	Scheißhauspapier	Reserve	Scheißhauspapier
Reserve	Scheißhauspapier	Reserve	Scheißhauspapier
Reserve	Scheißhauspapier	Reserve	Scheißhauspapier
Reserve	Scheißhauspapier	Reserve	Scheißhauspapier
Reserve	Scheißhauspapier	Reserve	Scheißhauspapier
Reserve	Scheißhauspapier	Reserve	Scheißhauspapier
Reserve	Scheißhauspapier	Reserve	Scheißhauspapier
Reserve	Scheißhauspapier	Reserve	Scheißhauspapier
Reserve	Scheißhauspapier	Reserve	Scheißhauspapier
Reserve	Scheißhauspapier	Reserve	Scheißhauspapier
Reserve	Scheißhauspapier	Reserve	Scheißhauspapier
Reserve	Scheißhauspapier	Reserve	Scheißhauspapier
Reserve	Scheißhauspapier	Reserve	Scheißhauspapier
Reserve	Scheißhauspapier	Reserve	Scheißhauspapier
Reserve	Scheißhauspapier	Reserve	Scheißhauspapier
Reserve	Scheißhauspapier	Reserve	Scheißhauspapier
Reserve	Scheißhauspapier	Reserve	Scheißhauspapier
Reserve	Scheißhauspapier	Reserve	Scheißhauspapier
Reserve	Scheißhauspapier	Reserve	Scheißhauspapier
Reserve	Scheißhauspapier	Reserve	Scheißhauspapier
Reserve	Scheißhauspapier	Reserve	Scheißhauspapier

Reserve	Scheißhauspapier	Reserve	Scheißhauspapier
Reserve	Scheißhauspapier	Reserve	Scheißhauspapier
Reserve	Scheißhauspapier	Reserve	Scheißhauspapier
Reserve	Scheißhauspapier	Reserve	Scheißhauspapier
Reserve	Scheißhauspapier	Reserve	Scheißhauspapier
Reserve	Scheißhauspapier	Reserve	Scheißhauspapier
Reserve	Scheißhauspapier	Reserve	Scheißhauspapier
Reserve	Scheißhauspapier	Reserve	Scheißhauspapier
Reserve	Scheißhauspapier	Reserve	Scheißhauspapier
Reserve	Scheißhauspapier	Reserve	Scheißhauspapier
Reserve	Scheißhauspapier	Reserve	Scheißhauspapier
Reserve	Scheißhauspapier	Reserve	Scheißhauspapier
Reserve	Scheißhauspapier	Reserve	Scheißhauspapier
Reserve	Scheißhauspapier	Reserve	Scheißhauspapier
Reserve	Scheißhauspapier	Reserve	Scheißhauspapier
Reserve	Scheißhauspapier	Reserve	Scheißhauspapier
Reserve	Scheißhauspapier	Reserve	Scheißhauspapier
Reserve	Scheißhauspapier	Reserve	Scheißhauspapier
Reserve	Scheißhauspapier	Reserve	Scheißhauspapier
Reserve	Scheißhauspapier	Reserve	Scheißhauspapier
Reserve	Scheißhauspapier	Reserve	Scheißhauspapier
Reserve	Scheißhauspapier	Reserve	Scheißhauspapier
Reserve	Scheißhauspapier	Reserve	Scheißhauspapier
Reserve	Scheißhauspapier	Reserve	Scheißhauspapier
Reserve	Scheißhauspapier	Reserve	Scheißhauspapier
Reserve	Scheißhauspapier	Reserve	Scheißhauspapier
Reserve	Scheißhauspapier	Reserve	Scheißhauspapier
Reserve	Scheißhauspapier	Reserve	Scheißhauspapier
Reserve	Scheißhauspapier	Reserve	Scheißhauspapier
Reserve	Scheißhauspapier	Reserve	Scheißhauspapier
Reserve	Scheißhauspapier	Reserve	Scheißhauspapier
Reserve	Scheißhauspapier	Reserve	Scheißhauspapier

Reserve	Scheißhauspapier	Reserve	Scheißhauspapier
Reserve	Scheißhauspapier	Reserve	Scheißhauspapier
Reserve	Scheißhauspapier	Reserve	Scheißhauspapier
Reserve	Scheißhauspapier	Reserve	Scheißhauspapier
Reserve	Scheißhauspapier	Reserve	Scheißhauspapier
Reserve	Scheißhauspapier	Reserve	Scheißhauspapier
Reserve	Scheißhauspapier	Reserve	Scheißhauspapier
Reserve	Scheißhauspapier	Reserve	Scheißhauspapier
Reserve	Scheißhauspapier	Reserve	Scheißhauspapier
Reserve	Scheißhauspapier	Reserve	Scheißhauspapier
Reserve	Scheißhauspapier	Reserve	Scheißhauspapier
Reserve	Scheißhauspapier	Reserve	Scheißhauspapier
Reserve	Scheißhauspapier	Reserve	Scheißhauspapier
Reserve	Scheißhauspapier	Reserve	Scheißhauspapier
Reserve	Scheißhauspapier	Reserve	Scheißhauspapier
Reserve	Scheißhauspapier	Reserve	Scheißhauspapier
Reserve	Scheißhauspapier	Reserve	Scheißhauspapier
Reserve	Scheißhauspapier	Reserve	Scheißhauspapier
Reserve	Scheißhauspapier	Reserve	Scheißhauspapier
Reserve	Scheißhauspapier	Reserve	Scheißhauspapier
Reserve	Scheißhauspapier	Reserve	Scheißhauspapier
Reserve	Scheißhauspapier	Reserve	Scheißhauspapier
Reserve	Scheißhauspapier	Reserve	Scheißhauspapier
Reserve	Scheißhauspapier	Reserve	Scheißhauspapier
Reserve	Scheißhauspapier	Reserve	Scheißhauspapier
Reserve	Scheißhauspapier	Reserve	Scheißhauspapier
Reserve	Scheißhauspapier	Reserve	Scheißhauspapier
Reserve	Scheißhauspapier	Reserve	Scheißhauspapier
Reserve	Scheißhauspapier	Reserve	Scheißhauspapier
Reserve	Scheißhauspapier	Reserve	Scheißhauspapier
Reserve	Scheißhauspapier	Reserve	Scheißhauspapier
Reserve	Scheißhauspapier	Reserve	Scheißhauspapier

Reserve	Scheißhauspapier	Reserve	Scheißhauspapier
Reserve	Scheißhauspapier	Reserve	Scheißhauspapier
Reserve	Scheißhauspapier	Reserve	Scheißhauspapier
Reserve	Scheißhauspapier	Reserve	Scheißhauspapier
Reserve	Scheißhauspapier	Reserve	Scheißhauspapier
Reserve	Scheißhauspapier	Reserve	Scheißhauspapier
Reserve	Scheißhauspapier	Reserve	Scheißhauspapier
Reserve	Scheißhauspapier	Reserve	Scheißhauspapier
Reserve	Scheißhauspapier	Reserve	Scheißhauspapier
Reserve	Scheißhauspapier	Reserve	Scheißhauspapier
Reserve	Scheißhauspapier	Reserve	Scheißhauspapier
Reserve	Scheißhauspapier	Reserve	Scheißhauspapier
Reserve	Scheißhauspapier	Reserve	Scheißhauspapier
Reserve	Scheißhauspapier	Reserve	Scheißhauspapier
Reserve	Scheißhauspapier	Reserve	Scheißhauspapier
Reserve	Scheißhauspapier	Reserve	Scheißhauspapier
Reserve	Scheißhauspapier	Reserve	Scheißhauspapier
Reserve	Scheißhauspapier	Reserve	Scheißhauspapier
Reserve	Scheißhauspapier	Reserve	Scheißhauspapier
Reserve	Scheißhauspapier	Reserve	Scheißhauspapier
Reserve	Scheißhauspapier	Reserve	Scheißhauspapier
Reserve	Scheißhauspapier	Reserve	Scheißhauspapier
Reserve	Scheißhauspapier	Reserve	Scheißhauspapier
Reserve	Scheißhauspapier	Reserve	Scheißhauspapier
Reserve	Scheißhauspapier	Reserve	Scheißhauspapier
Reserve	Scheißhauspapier	Reserve	Scheißhauspapier
Reserve	Scheißhauspapier	Reserve	Scheißhauspapier
Reserve	Scheißhauspapier	Reserve	Scheißhauspapier
Reserve	Scheißhauspapier	Reserve	Scheißhauspapier
Reserve	Scheißhauspapier	Reserve	Scheißhauspapier
Reserve	Scheißhauspapier	Reserve	Scheißhauspapier
Reserve	Scheißhauspapier	Reserve	Scheißhauspapier
Reserve	Scheißhauspapier	Reserve	Scheißhauspapier

Reserve	Scheißhauspapier	Reserve	Scheißhauspapier
Reserve	Scheißhauspapier	Reserve	Scheißhauspapier
Reserve	Scheißhauspapier	Reserve	Scheißhauspapier
Reserve	Scheißhauspapier	Reserve	Scheißhauspapier
Reserve	Scheißhauspapier	Reserve	Scheißhauspapier
Reserve	Scheißhauspapier	Reserve	Scheißhauspapier
Reserve	Scheißhauspapier	Reserve	Scheißhauspapier
Reserve	Scheißhauspapier	Reserve	Scheißhauspapier
Reserve	Scheißhauspapier	Reserve	Scheißhauspapier
Reserve	Scheißhauspapier	Reserve	Scheißhauspapier
Reserve	Scheißhauspapier	Reserve	Scheißhauspapier
Reserve	Scheißhauspapier	Reserve	Scheißhauspapier
Reserve	Scheißhauspapier	Reserve	Scheißhauspapier
Reserve	Scheißhauspapier	Reserve	Scheißhauspapier
Reserve	Scheißhauspapier	Reserve	Scheißhauspapier
Reserve	Scheißhauspapier	Reserve	Scheißhauspapier
Reserve	Scheißhauspapier	Reserve	Scheißhauspapier
Reserve	Scheißhauspapier	Reserve	Scheißhauspapier
Reserve	Scheißhauspapier	Reserve	Scheißhauspapier
Reserve	Scheißhauspapier	Reserve	Scheißhauspapier
Reserve	Scheißhauspapier	Reserve	Scheißhauspapier
Reserve	Scheißhauspapier	Reserve	Scheißhauspapier
Reserve	Scheißhauspapier	Reserve	Scheißhauspapier
Reserve	Scheißhauspapier	Reserve	Scheißhauspapier
Reserve	Scheißhauspapier	Reserve	Scheißhauspapier
Reserve	Scheißhauspapier	Reserve	Scheißhauspapier
Reserve	Scheißhauspapier	Reserve	Scheißhauspapier
Reserve	Scheißhauspapier	Reserve	Scheißhauspapier
Reserve	Scheißhauspapier	Reserve	Scheißhauspapier
Reserve	Scheißhauspapier	Reserve	Scheißhauspapier
Reserve	Scheißhauspapier	Reserve	Scheißhauspapier
Reserve	Scheißhauspapier	Reserve	Scheißhauspapier

Über den Autor

Ylog Namron ist mehrfach geleerter an der keramischen Universität in Darmstadt, wo er auch einen Leerstuhl innehat.

Aufgrund nachdrücklicher wissenschaftlicher Arbeiten im Bereich der Defäkation von Kaninen Felltieren erfand er im Jahre 2001, nach verschiedensten Versuchsreihen in geheimen Laboratorien der Stadtwerke, den so genannten „Pinscherangstschiss", welcher zu therapeutischen Zwecken von Schissophrenen Mitmenschen bislang erfolgreich eingesetzt wurde.

Er gründete mehrere Organisationen wie z.B. „Den weißen Keramikring", welcher verstopften und gepeinigten Klos hilft, sowie unter anderem auch den berühmten Verein „Freie Waldködler e.V.", welcher regelmäßig Sitzungen unter dem Thema „Die Losung ist die Lösung" in verschiedensten Leerstätten abhält.

Nichts für Heimscheißer oder Klopapier ist voll für`n Arsch